Odile des Iles

LA FILLE DE PERSONNE

Du même auteur

En collaboration avec Claudie Stanké

Naïve la gouache, Éditions Robert Laffont, 1988
Plus jamais l'hiver, Éditions Libre Expression, 1990

Marc K. Parson

LA FILLE DE PERSONNE

roman

Cet ouvrage a été publié avec l'appui du Programme de subvention globale du Conseil des Arts du Canada et du ministère de la Culture du Québec.

Illustration de couverture: *The Chippeway Widow*, Charles Bird King, © Superstock

Si vous désirez être tenu au courant des publications des ÉDITIONS DU SEPTENTRION vous pouvez nous écrire au 1300, av. Maguire, Sillery (Québec) G1T 1Z3 ou par télécopieur (418) 527-4978

Dépôt légal – 1er trimestre 1994
Bibliothèque nationale du Québec

Données de catalogage avant publication (Canada)
Parson, Marc K.
    La Fille de Personne: roman
    ISBN 2-9211114-99-2
    I. Titre.
PS8581.A77F54 1994   C843'.54   C94-940442-X
PS9581.A77F54 1994
PQ3919.2.P37F54 1994

À Denise Larocque

et à la mémoire des grandes amitiés qui unirent jadis gens des nations autochtones et de la Nouvelle-France, en espérant que ce printemps revienne.

Je ne cherche aux livres qu'à m'y donner du plaisir;
je ne cherche que la science qui traicte de la
cognoissance de moy mesme et qui m'instruise
à bien mourir et à bien vivre.

Montaigne

I

Si elle meurt, je meurs.

Quelle méchante fièvre avons-nous donc attrapée là? Cela fait trois jours qu'elle ne parle plus, ma belle vieille Madeleine, des jours et des jours qu'elle est trop faible pour se nourrir d'autre chose que de potions.

Et moi, Marilou, qui m'apprête à te raconter l'histoire de notre vie ensemble, je me rends compte que je ne connais presque rien de son enfance aux Trois-Rivières.

Pour moi, sa vie commence en vérité le jour où je l'ai aperçue, par un après-midi d'été de l'an 1710, sur la berge du fleuve Saint-Laurent, près de son amie Catherine, toutes deux allongées nues entre les rochers. Deux déesses sorties des profondeurs du fleuve pour adorer le soleil. Les cheveux blonds de Madeleine faisaient une ombre blanche sur l'épaule brune de l'Indienne.

Madeleine sortait tout juste de l'eau. Avant de reposer sa tête sur le ventre de son amie, elle avait relevé sa longue chevelure au-dessus de sa nuque, si bien qu'en retombant ses mèches blondes et froides recouvraient les seins de Catherine, en hérissaient les mamelons. Moi le beau, caché derrière les rochers, j'avançais la tête à m'en défaire le cou vers ces deux corps à caresser, à caresser pendant autant d'années que j'ai sacrifiées au roy de France, *oh païs!*

Madeleine reposait au rythme de la respiration légère de sa compagne. Dans ma fantaisie, je l'imaginais caressant du bout des doigts le corps de la jeune Indienne assoupie au soleil, s'attardant là, au creux de la hanche, où la peau est plus douce, puis remontant lentement le long du flanc de la belle endormie.

La tendresse qui les unissait était totale, indissociable du doux érotisme de ce tableau. Madeleine Vacher dit Lacerte, la blanche blonde, et Catherine Rouensa, la brune noire, ordonnaient le souffle de toutes choses, en ce début d'été.

Camouflé derrière mes rochers, honteux comme un curé surpris les fesses à l'air, fou comme un chiot en rut, je n'osais faire le moindre geste, de peur de les effaroucher et de donner l'alarme au frère de Catherine qui pêchait, un peu en amont, et dont on apercevait distinctement la silhouette.

Voilà. C'est ainsi que Madeleine, ta mère, est arrivée dans ma vie. À l'improviste, et nue comme au jour de sa naissance. Cet après-midi-là, ce fut le vrai début de notre histoire, à tous les trois.

Ces dernières années, où le temps ne nous manquait plus à ta mère et à moi pour les confidences, nous parlions sans cesse de Catherine. Elle nous manque. Elle nous attend.

Mais, avant de partir la rejoindre, je veux que toi et tes frères connaissiez notre véritable histoire et je compte sur toi, Marilou, pour leur raconter comme je vais te le faire.

Pourquoi sont-ils donc partis au bout du Nouveau Monde, ces deux-là! Je sais, rien ne sert d'y jongler, ça ne les fera pas revenir pour autant! Le ciel t'a-t-il donné moins qu'à tes frères? Qu'à ton aîné Hypolite, notre grand voyageur des Plaines, ou qu'au bon Charles, maître forgeron du bout du monde? Pourtant, s'ils vivaient ici, c'est à l'aîné que je relaterais tout cela, comme le veut *la tradiciu*. Pour ce qu'elles valent, les traditions!

Allez! viens mon enfant, ma Marilou, viens t'allonger près de moi. Ne crains pas ma fièvre, ce ne sont que les vieux comme Madeleine et moi qui avons à craindre de ces maladies-là.

Je veux, ma *chatouno,* que tu te rappelles tout ce que je vais te dire, ce soir, demain et, s'il le faut, tous les soirs qu'il me reste à vivre... Je vais te relater mon histoire et celle de notre famille. Je n'omettrai rien de ce qui doit être dit, que mes ancêtres en soient témoins! Il le faut, avant que mes souvenirs et ceux de ta mère disparaissent à jamais dans la nuit des temps.

Et quand je t'aurai tout raconté, nous n'en parlerons plus. Tu garderas le silence jusqu'à ma mort. Ensuite, tu pourras à ton tour transmettre notre histoire à tes frères. Ne pleure pas petite, ne pleure pas, écoute plutôt...

* * *

Cet après-midi de soleil et de déesses, j'étais en permission pour l'une des premières fois depuis mon arrivée en Nouvelle-France. J'avais trente-quatre ans, encore presque toutes mes dents et, pour tout bagage, une vie de garnison passée dans les armées du roy.

Je n'ai pas le goût de parler de ma vie de soldat. Je vous l'ai si souvent racontée! Bien entendu, je ne vous disais pas nos saouleries, nos esclandres, nos folichonneries galantes, tout ce que de solides gaillards peuvent inventer pour se divertir ou s'étourdir un peu. Mais je ne trouve plus d'intérêt là-dedans.

Rappelle-toi seulement que ton père, ma fille, était le plus grand et le plus fort du régiment, et que cela lui attirait autant d'ennuis que de respect. Et qu'il ne buvait pas... enfin, presque pas! Un petit rouge par repas, pour la santé, jamais plus. Je te le dis tout franc, le rouge que je préférais, ces années-là, c'était celui qui giclait des blessures des brigands qui me tombaient entre les mains!

Mon héros de toujours, périgourdin comme moi, c'était Bertrand de Born, chevalier, soldat, troubadour. D'un de ses *sirventès*, j'avais fait mon propre chant de guerre. Ce chant, je l'entends encore parfois, quand je songe à Hautefort, en Périgord, mon pays d'origine! Écoute:

«*A peiregors, pres de.l mural.h,*
Tan que.i puosch' om gitar ab malh,
Venrai armatz sobre Baiart,

E se.i trop peitavi pifart,
Veiran de mon bran com talh,
Que sus pe.l chap li farai bart
De cervel mesclat ab malha.»

«À Périgueux, près les murailles
Tant qu'on pourra lancer au maillet
Je viendrai armé sur Bayard
Et si je trouve le Poitevin balourd
On verra comment mon épée taille
Quand sur sa tête y ferai une boue
De cervelle mélangée aux mailles.»

Au début de mars 1710, notre capitaine nous annonça que notre régiment s'embarquerait pour la Nouvelle-France dès le printemps. Nous eûmes droit à une longue permission pour faire nos adieux à nos parents et amis.

Je n'avais pas remis les pieds en Périgord depuis mon engagement dans l'armée, à l'âge de quatorze ans. Mon oncle Pierre, le grand sénéchal, était mort, sans descendance, trois ans plus tôt; il me laissait pour héritage deux ou trois objets sans valeur ayant appartenu à ma mère, et une liasse de manuscrits de mon père, de la correspondance de toutes sortes. J'y trouvai un message à mon intention, sur l'envers d'une lettre à un cousin de Champagne, comme s'il avait eu une prémonition de sa mort subite.

Ces mots de mon père, je les lisais pour la première fois presque trente ans, jour pour jour, après sa mort. Ils constituaient son seul testament: «Le nom que tu portes, m'avait-il écrit, est l'un des premiers à avoir existé dans notre vieille et noble

France. Il fut donné à notre ancêtre Jean, Segnour de Verloing, à la toute fin du XIIIe siècle, en hommage aux précieux services rendus à la papauté lors de la grande croisade. Sois-en digne et fier, Nicolas de la Personne de Las Fonts, et sois fidèle à notre devise: "Oncques ne dévie!"»

Ma nourrice vivait toujours, *la bouno vièllia.* Je ne sais pas quel âge elle pouvait avoir. Elle était venue du nord de l'Espagne, avec ma mère, Jeanne Ferrante, qu'elle y avait connue enfant.

Je n'ai jamais su son vrai nom. Moi, je l'ai toujours appelée «Menino». Elle me reconnut tout de suite. Je l'enlaçai longuement. *La paubrasso* s'était tant ratatinée que son visage m'arrivait à peine plus haut que le nombril. Elle pleurait de joie et de chagrin confondus.

Ce soir-là, tard dans la nuit, n'ayant plus rien à craindre de feu mon oncle, elle me raconta la fin tragique de tes grands-parents, dans ses plus horribles détails.

Attends que je te raconte... Tu verras pourquoi je les déteste tant, les curés, et que je les détesterai toujours!

Ce sont eux, les vrais coupables. Eux qui, partout en France, ont attisé la haine contre les Huguenots... Eux qui, jaloux de leurs succès, les ont traités d'hérétiques, de suppôts de Satan, d'anti-Dieu...

Leur chef, le triste confesseur de madame de Maintenon, un dénommé François de la Chaise, avait d'abord réussi à convaincre le roy d'empêcher les protestants d'exercer toutes professions libérales.

Ensuite, il le persuada d'abolir toutes les mesures de protection des Huguenots contenues dans l'édit de Nantes; enfin, il fit démolir leurs temples, baptisa de force leurs enfants, dont je suis... Et, comble de *charitat crétienno,* ce barbare si civilisé inventa les dragonnades.

Dans toutes les familles de protestants qu'il découvrait, son clergé installait des dragons. Ces soldats-là se conduisaient dans ces maisons comme en pays conquis; ils y détruisaient ce qu'ils voulaient, violaient et violentaient femmes et filles, les avilissaient par tous les moyens possibles et imaginables, torturaient et tuaient comme et quand il leur plaisait.

Mets-toi à la place de ces pauvres Huguenots. Ils se convertissaient par milliers pour tenter d'échapper à la torture.

Ces gens-là ont tué mes parents; ils ont pillé nos biens, brûlé notre foyer, avec l'assentiment de ton grand-oncle, Pierre de la Personne, haut sénéchal du château d'Hautefort. Lui ne rêvait qu'à une chose: mettre la main sur la part d'héritage de mon père et continuer de festoyer avec Jacques François, marquis d'Hautefort, conseiller du roy, maréchal de camp et grand écuyer de la reyne.

Menino avait tout vu, du haut de son grenier. Ils étaient sept dragons, sept à faire irruption dans la maison, au crépuscule. Pas un chrétien n'était là pour secourir mes parents. Tous s'étaient enfuis, Pierre de la Personne le premier!

On suspendit mon père par les pouces à la poutre maîtresse de la maison, le dos accolé au mur, de sorte qu'il puisse voir tout ce qui allait se passer.

On lui demanda s'il était prêt à se convertir à la religion catholique, il refusa haut et sec!

On posa la même question à ma mère, elle refusa avec la même énergie. Alors, on arracha sa robe et on défit ses cheveux.

Ils la forcèrent à servir ainsi le repas, vêtue d'une simple chemise, de façon à ce que les mains de ces salauds puissent s'égarer à leur guise sur elle. Plus tard, quand les sept eurent bien bu, ils la firent boire à son tour et usèrent d'elle l'un après l'autre.

À la fin de la nuit, l'un d'entre eux se leva et, criant «Sus à l'hérétique», il déchira le ventre de mon père à coups de sabre. Alors, comble des horreurs, on viola ma mère avec un long tisonnier rougi au feu qui la transperça jusqu'au cœur.

Cette histoire, cela faisait à peine un mois que je l'avais entendue quand nous partîmes pour la Nouvelle-France. Devine ce que je ressentais en voguant vers le pays de prédilection des curés les plus fanatiques, cette Nouvelle-France, la très sainte, qu'aucun Huguenot n'avait le droit de fouler! Une contrée créée par des adorateurs de la Vierge! Ceux-là même chez qui on recrutait les plus fanatiques adversaires des Huguenots.

Et j'y allais pour les protéger!

Je brûlais de tant de haine qu'il m'est difficile de comprendre, maintenant, comment je réussis à me contenir et à ne pas tuer toutes les robes noires et brunes qui croisaient ma route.

La vue de la moindre soutane, de la plus anodine cornette m'irritait. Le plus banal de leurs prêchi-prêcha suffisait à me mettre hors de moi. Je devais fuir, trouver quelque endroit solitaire où épancher ma soif de vengeance à coups de hache ou d'épée dans les feuillus. C'est à cette époque, à mon arrivée en Nouvelle-France, que je renonçai tout à fait au bon vin! J'avais trop peur, l'ivresse aidant, de sortir de mes gonds et d'en massacrer en plein jour une bonne dizaine.

Ne me tiens pas rigueur de ne pas vous avoir tout dit de cette si courte traversée. Le Nicolas qui te parle, malade de ses soixante-dix ans, ne se reconnaît plus dans cet homme en colère.

Laissons, je t'en prie, mes péchés anciens reposer en paix et accepte, comme Dieu l'a fait, la confession que je Lui ai adressée dans mon cœur, à la façon des Huguenots.

Tu vois, je te dévoile des choses qui risquent de diminuer l'affection que tu me portes, au moment même où nous en avons tous deux le plus besoin...

Alors, voilà! Deux personnes sont disparues, jetées par-dessus bord, lors de notre traversée. Les ai-je vraiment tuées? Ce double meurtre fut-il seulement véritable? Je plaide innocent. Ou plutôt non. J'invoque le droit sacré à la vengeance, même trente ans plus tard. Ce n'est pas le hasard qui a fait qu'un de ces dragons à la retraite s'engage sur le même bateau que moi, et que je découvre, en lui, le chef des meurtriers de mes parents. Le hasard n'existe pas.

Ce n'est pas un hasard non plus si l'aumônier du navire était un prêtre d'Excideuil, le chef-lieu voisin d'Hautefort. Je continue de penser que forts d'avoir découvert mes origines, ils s'apprêtaient tous deux à me dénoncer comme hérétique. Sinon, pourquoi m'espionner tout le jour sans relâche?

Si j'ai réussi, cette nuit de pleine lune, à les convaincre de monter sur le pont discuter avec moi, si j'ai su les balancer tous deux par-dessus bord, d'un seul élan de mes deux bras et sans que personne ne s'en rende compte, c'est que Dieu m'en a donné la force, c'est qu'Il l'a voulu ainsi. *Quau balho la mounardo la merito!*

Le notaire Pressat me confirmait la véracité de l'histoire de Menino le lendemain, en m'apprenant également que mon oncle Pierre s'était emparé des biens de son frère cadet et qu'il en avait disposé à sa guise... Françoise, l'aînée de la famille, avait tenté d'empêcher le forfait. Mais la Champagne se trouve loin du Périgord et ce Pierre de La Personne de Las Fonts, chef des brigands du seigneur de Hautefort, faisait trembler tous les magistrats périgourdins. Ma pauvre tante ne put donc rien pour moi.

Le pire, quand j'y pense, c'est que, tout au long de mon enfance, les amis de ce criminel se fendaient en compliments de toutes sortes sur sa grande générosité! Pensez-y! Élever ainsi, comme un fils, l'orphelin de son frère cadet prétendument mort avec son épouse dans l'incendie de leur gentilhommière.

Et moi, fou de moi, élevé dans la très sainte doctrine de l'humilité, je ne perdais pas une occasion de m'humilier publiquement, en le remerciant de sa grande bonté! Le salopard devait s'étouffer de rire dans sa barbe! Des fois, Marilou, je souhaiterais qu'il existe, leur Enfer, et qu'il y brûle à tout jamais.

Lou diable le foutimasse!

Je restai un mois entier avec Menino, dans sa maisonnette d'Anhliac, tout à côté de l'église. Dans ma bêtise de jeunesse, un seul Personne avait suffi à me rendre ce pays invivable. Mais lui mort et enterré, je découvrais mon profond attachement à ce pays tout de pierres et de grottes, de châteaux et de gentilhommières, de chênes et de châtaigniers, de truffes et de belles *chatounos* comme toi, ma Marilou.

Je passais mes journées à chevaucher, du lever au coucher du soleil, là où me menait mon cheval, avant de revenir fourbu à la maisonnette, et mes soirées à deviser du passé avec Menino et à l'écouter fredonner les chansonnettes du *païs*.

Au Périgord, des châteaux, je ne te mens pas, j'en ai compté plus de cinq cents, dans ce seul voyage. Certains, bâtis au temps du bon roy Louis, d'autres, il y a trois siècles: celui d'Excideuil, par exemple, avec ses lucarnes toutes sculptées et ses escaliers en vis, ses grandes tours crénelées. Tout l'Hôtel-Dieu de Ville-Marie pourrait y tenir!

Et de bonnes gens, Marilou! *Paubres que paubres,* mais bons et droits comme des chênes! Et qui n'ont pas froid aux yeux! L'année même de ma naissance, tout Bordeaux et toute la Guyenne se sont soulevés pour mettre à feu et à sang les luxueuses demeures des nobles qui ne leur laissaient même pas de quoi manger, avec leurs impôts démesurés...

Mes *païs*, je les porte en moi pour toujours. Comme eux, en vrai périgourdin, je n'ai jamais cessé d'être *«pierre pour les ingrats, cœur pour les amis, épée pour les ennemis».*

21

Ah! je pourrais t'en parler longtemps de notre beau pays! Une autre vie, tout cela, une vie d'avant le Nouveau Monde.

Je partis le cœur gros des adieux de Menino. Je ralliai d'abord Bordeaux, où une flûte me mena à La Rochelle, de justesse pour ne pas être déclaré manquant.

Nous devions appareiller à la mi-avril. Aussi, dès le lendemain de mon arrivée, le maître de navire nous donna l'ordre de charger la frégate, ce que nous fîmes, tous ensemble, matelots, soldats et passagers, ces derniers accordant bien sûr toute l'attention voulue à leurs propres affaires, rangées dans de lourds coffres de bois bardés de fer et soigneusement cadenassés.

Te rappelles-tu, quand tu étais petite, combien de fois tu m'as fait raconter ce voyage! Et je prenais bien du plaisir à le faire, parce que ce fut un voyage béni de Dieu. Imagine, vingt et un jours à peine pour atteindre les bancs de Terre-Neuve! Pour nous qui en avions attendu vingt-trois un vent favorable à La Rochelle, dans les auberges de la ville, à y dépenser une bonne partie de notre prime, cela tenait du miracle!

Ah! c'était un bon vent d'est, ce petit vent du 8 mai qui nous donna le signal du départ, et nous l'aurions volontiers arrosé d'un solide banquet, mais il fallait faire vite pour en profiter: en moins de trois heures, tous étaient à bord, poules, pigeons, canards, oies, chevaux, soldats, hommes, femmes, enfants... et un tout jeune homme de bonne famille, ton futur parrain, Claude Raynaud. Eh oui, le beau

Claude! Il n'en menait pas large, je te jure! Penses-y, être exilé par sa famille pour dettes de jeu, ce n'est pas la gloire.

En trois jours, je lui ai fauché le peu de sonnant qu'on lui avait légué en guise d'adieu. Deux heures après notre dernier tarot, *l'embecilard* tentait de se jeter par-dessus bord!

On l'a attrapé juste à temps. Là, je l'ai rassis et je l'ai forcé à jouer sa culotte. Il a encore perdu! Alors, je lui ai dit: «*Moun pichou*, si tu la files douce, je te la laisse, ta culotte. Mais si tu tentes encore d'aller en paradis avant ton heure, je te l'enlève et je t'attache tout nu comme un ver, au fond de la Sainte-Barbe, là où dorment ces beaux messieurs de Saint-Sulpice!»

Tout le monde s'est esclaffé, connaissant les goûts particuliers de certains de ces porteurs de robe... et c'est comme ça que nous sommes devenus amis, lui et moi.

Quant à la culotte, laisse-moi te dire, il n'avait pas besoin de mon aide pour l'enlever! Deux jours après son grand drame, le coquin, il trempait déjà son lardon dans la lèchefrite de la petite Nau, à quelques branlants du gros nez ronflant de son lourdaud de père.

La traversée se passa tellement vite qu'il n'y a rien d'autre à conter. C'était chaque jour la même routine. Nous quittions nos branles dès le lever du jour pour aller laver le navire, tous ensemble, soldats et matelots, engagés, pilotins. Même ce foutu aumônier de mes fesses devait y mettre du sien. On remplissait les seaux d'eau de mer, puis on redescendait dans la Sainte-Barbe laver tout ça à grande eau, crottin d'animaux y compris.

Puis, venait l'heure de la prière! Obligatoire, bien sûr! Trois fois il a pris l'amende, le futur parrain, parce que, selon les robes, il ne priait pas assez dévotement. C'est moi qui ai payé pour lui.

Et chaque fois que je payais, chaque fois, la colère stupide de cet aumônier de malheur grimpait d'un cran, jusqu'à cette nuit de délivrance où elle passa par-dessus bord avec lui.

Après la prière, on allait prendre notre ration quotidienne de biscuits de Dieppe, un peu de lard quand on était chanceux, ou de la morue sèche et un bol de cidre. On passait la journée comme on le pouvait, à fumer, à jouer aux cartes, à faire mille petits métiers... Puis, le soir venu, tous dans la Sainte-Barbe. Et ça recommençait le lendemain.

Mais de voir la terre, de se rappeler la terre après dix-neuf jours de mer à perte de vue, de la voir cette terre, même sauvage, même déserte, je ne pourrai jamais assez te dire la joie que cela nous a fait. C'était, tiens, comme si tous ensemble nous étions devenus amoureux au même instant. Comme le plus beau jour de notre vie!

* * *

Tu t'es endormie, ma *chatouno*. Toute notre vieille maison dort. Il n'y a que moi qui n'en finis plus de veiller le feu et d'écouter les craquements de la charpente, l'éclatement des tisons, le souffle de Madeleine, sa toux déchirante qui la brise et me déchire tout autant.

Ce souffle trop court, brûlant, doit lui écorcher les poumons. C'est la vie transformée en feu, l'air en torture, comme pour mieux la convaincre de quitter ce monde. Ah! comme j'aimerais la guérir, prendre un peu du baume d'amour qu'elle m'a mis sur le cœur, toutes ces années, et lui en caresser la gorge.

À épier ainsi sa respiration, je me revois, réveillé en sursaut, tout angoissé à l'idée qu'Hypolite, notre premier-né, ait soudain cessé de respirer, tant sa vie me semblait fragile, magique, trop belle pour que Dieu nous permette cette joie.

Ton sommeil, Marilou, c'est celui de ses vingt ans, quand elle était sauvage et fière, amoureuse d'un soldat aux cheveux roux qui aurait presque pu être son père.

Ce soldat périgourdin m'est étranger maintenant. Un malheureux dont on a arraché le cœur, au sortir de l'enfance, et qui n'a trouvé qu'à s'étourdir pour survivre. Qu'elle est violente cette haine que l'ironie du sort attise jusqu'à la folie!

II

Nous nous sommes gavés de morue fraîche pendant trois jours avant de remonter le fleuve vers Québec. Ce que nous avons pu en manger de cette belle chair, grillée sur les braises ou crue à la manière des Sauvages!

Le quatrième matin, un vent du nord-est balayait les nuages qui nous cachaient les récifs. Notre lourd bâtiment glissa vers l'eau bleu foncée du golfe et nous pénétrâmes dans le grand fleuve comme on entre en passion!

Marilou, tu le sais, j'ai navigué sur tous les chemins d'eau d'Europe. Jamais, tu m'entends, je n'ai vu un fleuve aussi grandiose, aussi majestueux que notre grand fleuve. Ah! je souhaite que tu le voies un jour, là où il se jette dans l'océan, un hymne à la grandeur de Dieu!

Nous accostâmes à Québec le 5 juin 1710. Le retour à la vie de garnison! Les officiers de cette petite ville de province étaient plus chiants encore que ceux de Versailles. Mais ça, c'était l'ordinaire du soldat! La même routine, aussi monotone et ennuyeuse en Bretagne qu'en Martinique. Ils nous l'avaient tatouée sur la peau, sur le cœur, dans le cerveau.

La belle liberté de la Nouvelle-France n'avait pas encore atteint notre armée, crois-en ton vieux père.

Nous ne restâmes pas trop longtemps dans la capitale, cela valut mieux ainsi! La foule se moquait de nous parce que nous allions à Ville-Marie et nous commencions à avoir sérieusement envie de lui chauffer les oreilles.

On nous donna l'ordre de départ un mois, jour pour jour, après notre arrivée à Québec. Je n'eus que quelques heures pour faire mes adieux à Claude Raynaud. Ce drôle avait déjà réorganisé sa vie:

— Je vais devenir menuisier-ébéniste, me lança-t-il. J'ai signé mon contrat d'apprentissage la semaine dernière. Dans trois ans, c'est fait. Ensuite, je vous rejoins à Montréal si vous y êtes toujours... Sinon, je continue plus loin encore, jusqu'à ces fameuses mers d'eau douce d'où viennent les fourrures.

Nous avions sept jours pour rallier Montréal, avec, comme tu le sais, une escale bienheureuse aux Trois-Rivières, là où j'allais rencontrer, pour la première fois, Madeleine.

Nous nous empilâmes dans de grandes barques de trente-cinq à quarante pieds chacune, seize rameurs par barque et en avant les gars, souquez ferme! Les rameurs, c'était bien sûr nous, les soldats, flanqués d'un monsieur de Saint-Sulpice dans chaque barque et de deux ou trois voyageurs habitués au trajet.

Dans la mienne, il y avait un bourgeois déguingandé, un dénommé Louis Roger dit Labrie, presque aussi grand que moi, mais mince comme un vautour de carême. Drôle à s'en taper le *croupignou* jusqu'à ce qu'il en saigne.

Ah! il ne ramait pas celui-là, il était beaucoup trop bien habillé pour cela, avec son gilet de velours pourpre, son tricorne fauve et sa culotte de drap de soie verte, mais on ne lui en voulait pas! Au contraire!

Juste de l'entendre nous raconter la petite histoire intime des grands «Montréalistes» que nous nous en allions protéger au nom du roy, ça valait le voyage. Quel bonhomme! Penses-y un peu! Sept jours de rame, avec, en moyenne, huit haltes par jour, une par heure de rame pour bouffarder une bonne pipe, cela fait cinquante-six heures, non? Eh bien! en cinquante-six histoires toutes plus fascinantes, inquiétantes, scandaleuses et romantiques les unes que les autres, ce sieur nous a tracé cinquante-six portraits fulgurants, et souvent si drôles que notre sergent exigeait qu'il garde le silence pendant nos ramées... sinon, le fou rire nous enlevant toute force, nous ne nous serions jamais rendus plus loin que Batiscan!

Nous arrivâmes aux Trois-Rivières. Deux cent cinquante, trois cents maisonnettes de bois alignées sur un petit tapis de verdure qu'on aurait dit déposé la veille sur le sable de la ville. Il y en avait partout du sable, quand le vent s'élevait.

Québec, avec ses fortifications, ses maisons de pierre, sa caserne et sa foule, avait l'allure d'un village normand; si bien qu'en y arrivant nous avions tous eu l'impression de nous retrouver en terrain familier. Mais là-bas, devant ces minuscules cabanes de bois, ce sable, ces gens dispersés, vaquant chacun à leurs affaires, ce village qui ne ressemblait plus du tout aux villages de chez nous... et la forêt que je devinais soudain partout, j'ai vraiment ressenti, pour la première fois depuis notre départ de La Rochelle, le choc de la rupture d'avec le vieux pays. Un drôle de coup au cœur, Marilou!

Ce choc, je n'étais pas le seul à l'avoir ressenti. Notre sergent, un mordu de la discipline, un zélé de la pire espèce pour qui il ne pouvait y avoir d'autre plaisir que le devoir, tomba lui aussi sur la tête. Dès que nos barques furent hissées près du village, il nous annonça d'une voix qu'on ne lui connaissait pas, une voix, ma foi, presque joyeuse: «Repos... jusqu'à lundi matin!» Et il partit se soûler la gueule dans la seule auberge du coin, avec du bon bordeaux de chez nous!

Une journée et demie de liberté bien méritée... C'est un peu plus tard, en me baladant seul sur les rives du Saint-Laurent, que je tombai à genoux, saisi de beauté.

Devant moi, à demi cachées par les rochers, mes deux déesses nues, en plein soleil. Ah! si tu savais ce qu'une telle scène peut faire à un soldat en manque!

À la fin du jour, de retour au village, je me liais d'amitié pour de bon avec ce grand escogriffe de perruquier de Louis Labrie et nous passions la soirée ensemble, lui à raconter et moi à rire tant que j'en avais mal aux tripes.

Le lendemain matin, il m'invitait à rencontrer la famille de sa femme, Marianne, et le lendemain midi nous étions tous installés à la même table d'habitants, lui, moi, son beau-frère et sa belle-sœur et sa nièce par alliance, Madeleine, ma déesse du fleuve, habillée jusqu'au cou cette fois. Quand le destin décide de te prendre en main, ma fille, ça ne sert à rien de lui résister.

Le repas se déroulait comme dans un rêve. Cette si joyeuse assemblée, ces gens amènes, chaleureux, simples et prospères qui discutaient, parlaient, riaient tous ensemble, tous rangs et âges mélangés, jamais je n'avais été témoin de ça de ma vie. Et puis, devant moi, Madeleine, belle comme le jour, des yeux d'azur d'une eau plus limpide que le bonheur, toute jeune et pourtant l'aînée d'une incroyable ribambelle d'enfants qui se ressemblaient tous.

J'étais totalement sous son charme. Je n'aurais pas réussi à dire deux mots l'un après l'autre! Mais, ne t'en fais pas, Louis Labrie parlait pour deux! Lui, bien sûr, connaissait tout le monde: ton grand-père Guillaume, sa femme Marguerite Benoist et leurs autres enfants, Jean-Charles, l'aîné, Marguerite, Guillaume, les jumelles Louise et Marie-Agathe, Barbe, Anne et la cadette Françoise.

Jamais je n'avais été si heureux, si près des bonheurs de l'enfance, qu'à la table de cette famille de colons françois du Canada. En partant, je lançai, comme ça, sans réfléchir, moi qui n'avais pas pipé mot du repas: «Au revoir, tout le monde... à bientôt Madeleine...» Eh oui! «À bientôt Madeleine!» Le plus fort, c'est que personne ne tomba foudroyé! Ils eurent l'air de trouver cela normal, comme si, elle et moi, nous nous courtisions depuis des mois et que cela allait de soi.

Tous, sauf mon nouvel ami Labrie. Lui, il ne me manqua pas sur le chemin du retour: «Alors, beau chevalier, on s'amourache d'une jeunette! Mais c'est le démon du midi en personne, ce gaillard! Il a tous les feux de Saint-Elme amassés dans les chausses, ma parole, de la furole à ceux de Saint-Nicolas, son pauvre patron!»

Il marchait à grandes enjambées et déclamait tout haut en prenant à témoin les grands pins dressés sur notre route. Tous les pins, mais pas un seul homme! C'est pour cela, tu vois, que je l'ai toujours aimé; il aurait pu se moquer de mon aventure, me ridiculiser devant toute la compagnie, il n'a jamais raconté cette aventure! Et ça continuerait ainsi le reste de nos vies! Ce que nous avons vécu ensemble, ce dont nous avons été témoins, à tour de rôle, personne d'autre n'en a jamais rien su.

Le reste du voyage vers Montréal se déroula sans histoire. Oh! il y avait bien les remontrances du sieur de Saint-Sulpice qui partageait notre barque. Jaloux, sans doute, de la faconde de notre perruquier, il trouvait sans cesse à redire sur ses propos. Il a été chanceux que je ne me retrouve pas seul avec lui par une nuit sans lune, ce cureton! Mais Louis Labrie, au lieu de se défendre, acceptait ses remarques et commençait une histoire plus édifiante, celle, par exemple, d'un saint martyr. Dès qu'il sentait le curé rassoupi dans le ravalement de la barque qui lui servait de chambrette, il s'empressait d'ouvrir une longue et ragoûtante parenthèse sur, par exemple, la nature plus laïque des conversions que le martyr en question avait faites, loin dans les bois, avec de jeunes Sauvages prêts à apprendre le maniement du goupillon.

C'est de sa bouche que j'appris l'histoire de son patron et protecteur, Jacques Leber de Senneville. Avant même de le rencontrer, celui-là, je savais qu'il ne me fallait pas faire allusion devant lui à la vie de caserne à Paris.

Vois-tu, *ma bichouno,* à l'époque où le bon sieur de Senneville était encore tout jeune soldat, il avait bu et joué tous les deniers de sa fortune. Et, un soir, c'est moi qui l'ai foutu dehors d'une taverne; dans sa soûlerie, il voulait tuer tout le monde. Ce genre de souvenirs, vaut mieux les oublier.

Penses-y! Quarante mille livres d'héritage qu'il avait dilapidé, notre beau soudard, avant de revenir tout penaud, en Nouvelle-France, subir quotidiennement, de la bouche de son père si sévère, le récit des conduites édifiantes de sa sœur Jeanne, la célèbre recluse qu'on t'a si souvent citée en exemple à l'école!

* * *

Un homme est un homme, partout où il se trouve. Bon ou méchant, lâche ou brave, selon les circonstances, les époques ou selon les gens. La méchanceté pour se nourrir, pour chasser et pour survivre; et la bonté, une fois repu, pour digérer et se faire cajoler. Madeleine le sait bien, elle dont l'amour m'a avalé tout rond, qualités et défauts mélangés.

Ta mère avait de qui tenir! Quand son père, Guillaume, invitait quelqu'un dans son petit cercle d'intimes, c'était tout d'un bloc qu'il l'accueillait, comme si cela allait de soi.

Parce qu'il s'était accepté lui-même et qu'il avait assumé sa condamnation comme *faulx-saulnier* — c'est ainsi qu'on appelait les contrebandiers de sel — et sa déportation ici, en 1683! Oh! en Nouvelle-France, son crime n'était pas déshonneur! Monsieur de Vaudreuil lui-même avait écrit au ministre de la Marine pour en réclamer davantage, des *faulx-saulniers,* parce que, selon lui, ils étaient débrouillards, travailleurs et de bon goût.

Guillaume Lacerte avait donc été hors-la-loi dans le vieux pays et tudieu! il l'aura aussi été en Nouvelle-France. Plus encore que là-bas. Ça, je le découvris dès le lendemain matin, quand, va savoir pourquoi, je décidai de prendre mon nouvel ami Labrie en filature jusqu'à la petite ferme.

Je le suivis, en longeant le bois jusqu'au champ derrière la grange où travaillait monsieur Lacerte. Ce grand diable de Labrie vint le rejoindre et lui remit une bourse grosse comme le ventre du vicaire Priat.

— Voilà, pour vous, lui dit-il, de l'argent bien sonnant! Pas de la monnaie de carte... Du vrai! Je repasserai à la fin de l'été.

— Dans deux mois, pas avant, Louis, lui répondit le vieux Guillaume. Reviens à la fin août, j'aurai ce qu'il te faut! Des cartes parfaites!...

34

Drôles de bonshommes! Il faut que je te dise que
là-bas, dans le vieux pays, avant de saler son
existence, M. Lacerte avait exercé la profession fort
honorable de maître cartier. Ces gravures que j'avais
remarquées sur les murs de sa maison, ce magnifique jeu de tarots qui dévoile la vie de chaque personne qui le consulte comme si c'était le bon Dieu,
tout cela, il en était le grand auteur, dessins et impri-
merie. Un savant, ton grand-père! Un savant que la
Nouvelle-France et l'occasion avait transformé en
faussaire. Et c'est Louis Labrie, son complice, qui
écoulait sans doute la marchandise à Québec et
Montréal.

Je les aurais dénoncés sur-le-champ si j'y avais
vu mon compte. Mais je me suis dit: «Sois pas
idiot! Trouve le moyen qu'elle te profite, ta découverte. Qu'on paie ton silence. Ou, mieux encore,
saisis tout leur argent, s'il est si bien fabriqué que
cela.»

Je passai le reste du voyage à élaborer des plans,
à évaluer leurs chances de réussite, leurs écueils. Et,
tout ce temps-là, je sentais le regard du grand Louis
dans mon dos. Lors de nos bourrées, j'écoutais,
inquiet, ses récits; j'y devinais mille petites allusions
amusées à mon indiscrétion, comme s'il n'avait rien
eu à craindre de moi, comme s'il savait qu'à la fin
j'allais lui faire confiance, ne rien dire, devenir son
complice par mon silence.

Diable d'homme! Évidemment que je l'honorai,
sa confiance. Soyons francs, ce fut autant par sym-
pathie que par intérêt! J'avais compris l'importance
de conserver l'amitié de l'homme de confiance de

Jacques Leber de Senneville, le marchand le plus riche de Ville-Marie, un vrai seigneur! Et surtout, de garder l'estime de l'homme qui m'avait ouvert les portes de la maison Lacerte.

Je lui ai donc avoué que j'avais été témoin de sa rencontre avec monsieur Guillaume. Je n'avais pas joué les espions, j'avais voulu revoir Madeleine, ne serait-ce que de loin. Madeleine dont la vision ne me quittait plus.

Labrie éclata de son grand rire et m'envoya une bourrade à renverser un curé dans son bénitier.

— C'est décidé, soldat. En arrivant à Ville-Marie, je te présente à notre seigneur Leber! Nous verrons à t'initier à la vraie vie. Tu n'y couperas pas!

Ni bon ni méchant, les deux à la fois. Un homme. Sa raison. Sa volonté de survivre. Et l'amitié qui soudain chambarde vos calculs et vous fait prendre la bonne décision. Comme on disait dans le vieux pays: «*Un ome n'en vau 'n'autre!*»

* * *

Nous avons accosté à Ville-Marie en toute fin d'après-midi, légers de cœur, «mangeux d'lard» contents de retrouver la civilisation, après des heures et des heures où les regards tiraient derrière eux, dans le même effort que les muscles des bras, l'interminable ruban bleu du fleuve, l'infini cordon vert de la rive.

Montréal, Ville-Marie. Le sieur de Saint-Sulpice s'était jeté à genoux, remerciant la Providence de l'avoir rendu à sa ville! Les voyageurs se sentaient si légers, si guillerets à la vue de la vieille palissade de troncs d'arbres qu'ils acceptèrent sans rechigner l'invitation du sulpicien de rendre grâce au Roy des cieux.

Je fixais interdit, sans pensée, cette méchante clôture de troncs pourris ceinturant la ville, comme autant de dents cariées! Je te l'avoue, je la cherchais sans l'y trouver, leur civilisation.

Tu me vois, moi, soldat périgourdin, entouré dès son enfance des plus vaillants châteaux forts de la doulce France, les bras ballants devant cette palissade qu'on me présentait comme une forteresse! Et quelle idée de faire des remparts de bois sec que la moindre étincelle embraserait instantanément!

Des petites maisons de bois gris la débordaient de partout. À leurs fenêtres, à peine plus larges que des meurtrières, des peaux pour empêcher les cousins, maringouins et brûlots d'entrer.

Pour l'armée du roy, une palissade, même trouée de toutes parts, c'est une palissade. Il fallait donc, le plus officiellement du monde, passer par l'une de ses cinq portes officielles, sous peine de subir les foudres des sentinelles qui les gardaient.

De jour, comme en cette belle fin d'après-midi, la sentinelle se tenait plutôt au centre même de la porte que sur la passerelle. C'est ainsi, disait-on, qu'elle contrôlait les allées et venues des Indiens et des voyageurs; plus loin, d'autres soldats vérifiaient, au nom du magasinier du roy, le contenu des ballots et le chargement des marchandises de traite et des fourrures.

Une petite populace de badauds, aux habits des plus bigarrés, s'était assemblée pour nous accueillir, comme à l'arrivée d'un grand bâtiment dans le port de La Rochelle. Certains nous aidèrent à tirer nos barques sur les galets gris de la rive. Labrie me souhaita l'au revoir. Je le regardai partir à grandes enjambées vers le bout de la plage. Deux jeunes Sauvages l'y attendaient. Je me penchai vers les cailloux de la rive. J'en pris un, tout poli, je le mis dans ma poche! Voilà, j'étais Montréaliste!

J'eus à peine le temps d'entrevoir, du coin de l'œil, mon nouvel ami s'éloigner en canot avec ses jeunes compagnons que déjà nous formions les rangs et marchions en cadence vers le cœur de la ville. Nous escortions les charrettes chargées de colis de toutes sortes provenant de Québec et de France et dont les badauds tentaient de deviner le contenu, brûlants d'impatience de savoir ce qui pouvait bien leur arriver, cette fois, du vieux pays! L'impatience. Oui, mêlée à un peu de nostalgie, mais aussi au plaisir plus doux de s'en être sorti, et de vivre ici, presque libre de penser à sa guise.

Je savais ces gens libérés des impôts de toutes sortes qui, en France, avaient réduit à la misère tant de parents et d'amis. Mais à ce moment-là, je ne comprenais rien à leurs moqueries. J'avais plutôt le goût de les mater, ces impolis! Même les femmes y mettaient du leur et passaient leurs commentaires sur notre... disons, port d'armes. Nous n'avions jamais vu ni entendu ça!

Bras d'acier, notre canonnier, était persuadé que tous ces mécréants étaient à la solde de quelque puissant noble sinon, qu'il disait, notre sergent nous les aurait tous fait arrêter pour insultes au roy et à ses représentants!

Tu parles! Rollet, que tout le monde appelait «la déroute», je te laisse deviner pourquoi, était blanc comme un drap! Le peureux me dit même à l'oreille: «C'est presque l'insurrection. On nous disait que les ennemis étaient les sauvages iroquois et les Anglois. Et voilà que nos propres gens nous insultent!»

* * *

Le canot de Labrie, je l'appris plus tard de sa propre bouche, n'alla pas très loin, à la dernière des grandes îles de Ville-Marie, qu'on appelle l'île aux Hérons, en direction des rapides de Lachine.

Là, à l'abri des regards indiscrets, Louis remit au sieur Leber de Senneville les liasses de fausse monnaie de cartes que Guillaume Lacerte, maître cartier, le meilleur faussaire de Nouvelle-France, avait patiemment fabriquées sur sa lointaine ferme des Trois-Rivières.

Jacques Leber, tu l'imagines, avait compris dès le départ le profit qu'il pourrait tirer des talents de maître Guillaume. Un premier acompte de quelques dizaines de louis bien sonnants avait suffi à convaincre notre grand artiste et tout ce beau monde fut en affaires. Monsieur Lacerte imprimait ses propres cartes, les coupait, y imitait ensuite la signature du gouverneur général et de l'intendant. Ne restait plus qu'à distribuer la fausse monnaie ici et là, sans qu'il n'y paraisse! Voilà, ma fille, comment se font les grandes fortunes...

Je retrouvai le quotidien des troupes de Sa Majesté. Notre pays, dans l'armée, c'est notre sergent de compagnie. Alors, ici ou ailleurs, qu'importe! Si tu savais comme je me suis senti dépaysé, des mois durant, après avoir reçu ma dernière solde, de ne plus entendre ses sympathiques hurlements! Ici à Montréal, la vie nous était quand même plus agréable que dans le vieux pays. Tu sais pourquoi? Parce que le bonheur d'un soldat se calcule au nombre de ses supérieurs. À Paris, ils étaient légion, ici, il n'y avait que le lieutenant général, les huissiers, les sergents et six ou sept officiers seigneuriaux. Ça s'endurait.

Quant aux Montréalistes, je m'habituai vite à leurs airs de fronde; après tout, ils ne pouvaient pas apprendre grand-chose, en matière de crânerie, à un croquant de bonne souche comme ton vieux père. Et puis Montréal me plaisait; je la découvrais chaude et confortable, un giron de femme lovée dans son écrin de jungle, avec ses rues boueuses les jours de pluie, et poussiéreuses en plein soleil.

Le fleuve, deux grandes avenues parallèles, dix rues perpendiculaires, deux cents petites maisons de bois et de colombages et vingt-sept de belles pierres grises, pas une de plus, et l'église Notre-Dame, quatre couvents, le premier Hôtel-Dieu — celui d'avant l'incendie que tu sais — l'Hôpital Général, le Palais de justice, la prison, le chantier naval et la place du marché, puis les entrepôts et, bien sûr, la caserne. Tu vois comme j'ai bonne mémoire! Du temps de mes tournées, j'aurais même pu te dire qui habitait chacune de ces maisons!

J'étais du corps de garde de jour, cette première fin d'été et tout l'automne. Ainsi, de tournée en tournée, j'ai appris à connaître tout mon petit monde, celui du moins qui tenait boutique.

Ceux qui déambulaient dans les rues, c'était une autre histoire: Hurons, coureurs des bois, paysans, manœuvres, ouvriers et mécréants de toutes sortes et de toutes les couleurs, poussiéreux, bigarrés, balafrés, tous armés. Même pour un vieux soldat aguerri comme moi, je te jure qu'il y a des jours où je me demandais comment j'allais survivre à mes futurs quarts de nuit!

Je croyais dur comme fer, en ces premiers jours, les gens de Québec: «Les Montréalistes? Des loups, pire que des loups! Et vous pensez que vous allez les protéger?» Voilà ce qu'ils nous avaient ri au nez en apprenant que nous étions la troupe de relève! «La relève? Tiens, ils ont déjà fini de dévorer l'autre?»

J'ai appris à les aimer, mes loups montréalistes, au fil des années. Je les sais même plus doux que les cagneux des autres grandes villes que j'ai connues!

Mais le métier de soldat est dur; on n'y fréquente pas la plus belle société. À nous les restes, les indésirables, les gueux, les criminels, les assassins, les misérables, les ivrognes, les filous, les fripons et les ivrognes, toujours les ivrognes. Si ces messieurs de Saint-Sulpice, en bons soldats du Christ, montaient la garde auprès du bon grain, nous, c'était auprès de l'ivraie! Avec l'un, tu récoltes des sous, et avec l'autre des coups, disait toujours Alavoine.

À cette époque, il n'y a pourtant pas si longtemps, on aurait dit que les choses changeaient moins rapidement que maintenant; le Montréal de ton enfance, celui que tu connais par cœur, c'est presque celui de mon arrivée. À peine cinq ou six cents habitants de plus, ceux des nouveaux quartiers. Et les pavés de nos deux grandes rues principales, la rue Saint-Pierre et la rue Notre-Dame.

Oui, tout changeait moins rapidement dans ce temps-là. Holà! ne te moque pas de ton père, coquinette! Je sais bien que je suis vieux. Que veux-tu, je passe plus de temps dans l'entrepôt à souvenirs, à en faire l'inventaire, qu'à élaborer des projets! Quel projet voudrais-tu que je fasse sans ma belle Madeleine?

Regarde-la, regarde comme elle est belle, notre *grando damo*. Elle rajeunit, je te dis. Elle souffre et elle rajeunit. Elle a toujours été comme cela, ta mère. Dans ses grandes douleurs, soudain, elle s'épanouissait comme une fleur et je me disais: «Elle fait ça pour toi, Nicolas. Elle souffre devant toi et, pour s'en excuser, elle te donne encore plus de beauté! Pour que tu ne souffres pas de sa douleur.»

Je tentais de la consoler, de lui donner quelque chose en retour pour cette immense magie. Je ne sais toujours pas comment m'y prendre, ni comment recevoir. Allez, laisse-moi me reposer un peu.

III

Gourjo ton poêle, petite, garde-le chaud. Plus tard, tu
iras emprunter une autre bouilloire, celle de la
vieille Guillemot: une *bulidour* de plus, remplie
d'eau bouillante et d'écorce d'épinette. Ça ne fera
pas de tort à nos vieilles bronches, à ta mère et à
moi! C'est ainsi, tu sais, que nous guérissions vos
gros rhumes quand vous étiez enfants. Des bonnes
vapeurs d'épinette et du sucre d'érable! J'ai appris
ça de ta grand-tante Marianne Labrie, ce premier
hiver que j'ai passé dans leur maison de la rue Saint-
François.

Ah! elle n'était pas de pierre, leur maison, mais
confortable tout de même! Presque des bourgeois,
mes hôtes, avec leur belle grosse maison de deux
étages, en pièces sur pièces. Tout le monde ne pouvait pas se payer deux bons poêles en fer comme les
Labrie!

Au rez-de-chaussée, du côté gauche, la boutique
de Louis. Du côté droit, la cuisine et le grand esca-
lier qui menait aux chambres. Le sol était en terre

battue, comme dans la plupart des maisons de l'époque, mais bien battue, la nuit comme le jour! Derrière, une grande cour, encerclée par les murs des autres maisons et, tout au fond de la cour, les latrines, à cent pas du puits de la maison qui, lui, se trouvait tout près du portique.

Je n'étais pas le seul à apprécier la compagnie du sieur Louis. Jamais, jamais tu m'entends, je n'ai vu cette boutique vide de flâneurs ou de clients de mon perruquier, ou encore de voisins négligents, venus quêter un tison pour rallumer le feu dans l'âtre de leurs foyers!

Les clients y venaient attendre qui sa perruque, qui ses souliers, parce que mon ami était aussi cordonnier! Les connaissances, les voisins leur rendaient visite sans raison, tout comme les vieux et les enfants des alentours. Tout ce beau monde se tassait les fesses sur les deux grands bancs qui longeaient le mur de la boutique, de part et d'autre de la porte d'entrée.

Marianne quittait parfois ses travaux et venait s'appuyer sur le cadre de la porte qui reliait boutique et cuisine; elle nous offrait à tour de rôle son plus beau sourire. Le grand Louis haussait le ton jusqu'à ce qu'elle lui sourit à son tour, mais sans jamais cesser de relater la toute dernière version de sa toute dernière histoire. Si tu voulais connaître les plus récentes nouvelles de Ville-Marie, ma jolie, celles des pays-d'en-haut comme celles du vieux pays, c'est chez ton grand-oncle Louis qu'il fallait aller.

Moi, à titre de familier de la maison, je pouvais traverser côté cuisine et même m'y attabler.

Et Louis racontait sans se lasser toute la journée durant. J'en ai entendu, dans ma vie, des gens qui parlaient bien, mais jamais aussi bien que mon grand ami. Ce diable d'homme donnait même une voix au silence.

Il commençait ses histoires, de la même façon, prenant quelqu'un à témoin, et toujours avec une question du genre: «Vous le savez, vous, pourquoi notre sainte Église a décidé que le castor était un poisson?» ou encore: «Ah! la Verchères, celle-là! Le savez-vous, vous, pépère, pourquoi on n'a jamais retrouvé son châle?» Et l'histoire commençait!

Il achevait une phrase, parfois, avec une intonation particulière, appuyée, figée par un silence, court ou prolongé, anodin ou dense. Un silence comme la peur qui te guette quelquefois, le soir, dans les bois, quand tu entends un hululement et que tu te demandes si c'est une chouette ou un Iroquois.

Et puis, il nous lançait un mot, un seul, un mot nu, cru, et c'était grande magie! Louis Labrie ne racontait pas, il nous faisait vivre ses contes!

Avec des paroles connues, entendues, des mots de tous les jours. Et son public — clients, flâneurs, flagorneurs, mécréants ou marchands, fantassins, clercs de notaires, artisans, bourgeois, voyageurs de passage, vieux et vieilles — s'y reconnaissait comme un castor dans sa digue.

Mon nouvel univers. J'apprenais à les connaître, ces gens de bonne volonté, je savais par quel instinct ils aimaient se retrouver là, côte à côte, souvent muets, comblés de la seule présence des autres, comme des moutons qui se bousculent autour de leur berger la nuit venue et se laissent bercer par le chant de sa flûte. Bien méchants loups, mes Montréalistes!

Quand je franchissais le seuil de la cuisine de mes amis, je laissais derrière un nuage gris et poisseux pour soudain me retrouver en plein soleil, sous un ciel bleu empli de merveilles... Je te le dis plus simplement: ce monde que Marianne avait créé autour d'elle était pour moi aussi mystérieux, aussi fantastique que les Indes de Cristobal Columbus.

Cette femme, à peine plus âgée que moi, incarnait à mes yeux toute la douceur féminine de ma première enfance. Je redécouvrais, émerveillé, le bien-être, la tendresse du monde et moi, *soudard* de toujours, je ne rêvais plus que de me perdre en son univers.

Penses-y! Vingt ans dans les casernes, avec des milliers d'autres coqs en parade, à ne jamais laisser tomber la garde, à se méfier les uns des autres, à s'endurcir la couenne et à collectionner les coups pour mieux les redistribuer ensuite.

Auprès de la femme de mon ami, tout cela devenait futile et enfantin. C'est dans sa cuisine que j'ai vraiment commencé ma découverte du Nouveau Monde. Marianne lisait en moi comme dans un livre ouvert.

Il n'y avait pas que Marianne, dans mon Nouveau Monde, il y avait une jeune femme panis aux yeux et aux cheveux plus noirs que les plus noirs tisons, Angélique Migouanounjan, plus grande et plus forte que la plupart des hommes, mais élancée, fine, avec un visage doux comme une lune de printemps. Il y avait enfin Geneviève, la fille unique de Marianne et de Louis, mariée du dernier été et qui revenait de temps en temps revivre son rôle de fille unique, et être, de mille façons, désagréable avec ses parents.

Angélique Migouanounjan était d'une nation du sud-ouest du lac Supérieur, les Mascoutens qu'on appelle aussi la Nation du feu, le Peuple de la prairie, les Assistaguénoron. Labrie m'avait conté que des voyageurs l'avaient enlevée toute jeune à ses parents, quelque part aux environs de Chagouamigon, passé le lac Supérieur; ils l'avaient vendue comme esclave à Leber de Senneville. Celui-ci l'avait fait élever chez lui avec quelques autres esclaves, «comme une fille de la maison», disait-il souvent. Un jour, quand Louis et Marianne désespérèrent d'avoir d'autres enfants, il leur offrit de la prendre sous leur toit, pour seconder Marianne dans ses travaux.

Louis et Marianne n'aimaient pas ce prénom d'Angélique que les curés donnaient trop souvent aux enfants trouvés. Aussi, ils l'appelaient toujours Migwa.

Sa nation, elle l'avait connue aussi peu que moi j'avais connu mes parents. Sans passé, aux yeux des Indiens de la région montréalaise, elle était, au mieux, une esclave blanche, parce que, pensaient-ils, elle vivait comme une blanche. Mais pour les Mont-réalistes, les visages pâles, elle était une Sauvage, tout juste plus parlable que les autres, parce qu'on lui avait appris les façons du grand monde. Migwa adorait Marianne, Marianne ne pouvait plus se passer de Migwa.

47

Je la trouvais jeune, Migwa, pour vivre le reste de sa vie entre les quatre murs de cette cuisine où elle passait la plupart de ses jours et de ses nuits.

Je lui demandai un jour:

— Tu ne leur en veux pas à ces gens qui t'ont volé tes parents? Moi, je n'arrive pas à calmer ma rage contre les assassins de ma mère et de mon père.

Elle me répondit:

— La haine brûle le cœur, mon soldat. Si jamais vient le temps d'aimer, voudrais-tu qu'à la place de ton cœur il n'y ait plus que des cendres?

Elle me dit cela, à l'oreille, dans un souffle doux comme un frisson; je rougis comme un jouvenceau! Cette fille ne semblait pas vouloir faire autre chose que d'aimer. Au fil des semaines, de conversation, en jasette, en conversation, je me surprenais même, sous son influence, à dire du bien de mes ennemis, à tenter de les comprendre, moi qu'on payait pour les occire!

Tard le soir, parfois, après avoir aidé Louis à ranger ses outils, j'allais m'asseoir près de l'âtre, auprès de Marianne et de Migwa, occupées à quelques tricots. Je n'oublierai jamais ces belles soirées. Louis se bourrait une pipe, l'allumait à un tison et puis se calait dans son fauteuil en disant:

— Alors, ma muse?

Marianne lui souriait et répondait:

— Alors, c'est un mot de vieux, perruquier!

Et elle se mettait à fredonner une des mélodies de son pays de la Loire ou à lui défiler doucement, sans se presser, les nouvelles de la journée recueillies auprès des femmes du voisinage dans la cuisine, au marché, sur le trottoir.

Mais mon ami s'endormait vite, la pipe à la bouche. Moi, je restais là, à écouter Marianne, à capter les regards de Migwa. Je souriais, comme un chat ronronne quand il a le ventre plein et qu'il s'endort au coin du feu. J'étais heureux. Sans raison, par ma seule présence auprès de ces gens.

Parfois, nous veillions si tard que Marianne secouait son Louis et l'amenait se coucher dans leur cabane, à l'étage, et je restais seul avec Migwa, à regarder le feu. Un soir, elle leva soudain les yeux de son ouvrage, me fixa un long moment, me sourit, se leva et dit:

— Dès que je t'ai vu, Nicolas, mon esprit a couru vers le tien. Tu fais partie de moi. Je vis avec toi plusieurs de mes rêves. Et quand nous aurons suffisamment échangé nos souffles de vie, nous repartirons vers nos destinées. Tu vivras longtemps, mon frère, et je vivrai toujours à travers toi. Notre âme a trop soif de vivre, Nicolas, elle s'est fait homme et femme à la fois!

Cela ne cesse de m'étonner, chaque fois que j'y pense: chacune de ses paroles, à peine prononcée, devenait pour moi vérité indéniable, croyance nouvelle. Puis elle posa ses lèvres sur les miennes et je ne voulais plus qu'une chose: m'abreuver de son corps, de sa source. Ma soif était sans limite. Nous avons fait l'amour comme seuls des amants de toujours savent se perdre et renaître de volupté.

Je gardais pourtant, au fond de moi, l'image de cette jeune femme que j'avais croisée aux

Trois-Rivières mais Migwa, cette nuit-là, me la fit oublier:

— Je suis eau, Nicolas, je suis lac, fleuve et rivière, bois-moi! Éteins à jamais ce méchant incendie qui te brûle le cœur et t'entraîne vers la mort.

Ah! Je ne te parlerais pas de cela si Migwa ne m'avait pas tant donné. Comment te dire? Avant elle, avant Louis et Marianne, je n'avais pas existé vraiment. Je n'étais qu'un soldat parmi des milliers d'autres. Un *soudard* anonyme. Pire, inexistant, personne! Comme mon nom!

Mais, ce grand escogriffe de Labrie a croisé mon chemin, aux Trois-Rivières, et tout a changé!

Cette nuit-là, Migwa me dit que nous nous connaissions depuis toujours. Je la crus. C'est vrai, j'avais la même impression!

Elle se pencha sur moi, m'embrassa les paupières en disant: «À bientôt!» Je m'endormis d'un profond sommeil. Migwa m'attendait dans mon songe, au pied du grand chêne où, souvent, dans mes rêveries de bonheur, je venais m'allonger.

Elle y reposait nue, sur des peaux de caribou, attentive aux remous que sa main traçait du bout des doigts dans le ruisseau qui coulait là, au pied du grand chêne. Je m'allongeai près d'elle. Le sommeil nous prit, une fois de plus, par la musique vivifiante du ruisseau et de sa cascatelle, plus bas, vers la gauche, là où je le savais disparaître dans une faille de rochers cristallins.

* * *

Quand Migwa me réveilla, l'aube avait déjà perdu ses couleurs de nouveau-né. Nous étions à la fin de novembre et pourtant, dehors, le temps était doux. Nous quittâmes la maison en refermant soigneusement la porte, descendîmes la rue Saint-François, puis la rue Saint-Paul jusqu'à la place d'Armes. Nous atteignîmes le quai des Barques, silencieux, attentifs à nos corps cadencés.

Ne crois pas que ton vieux père déparle, Marilou, s'il t'affirme que, ce matin-là, la magie de Migwa lui avait rendu les sens tellement à vif qu'il comprit parfaitement ce que se chuchotèrent deux chasseurs algonquins campés loin en aval, passé le quai des Canots, lui qui ne connaissait pas un traître mot de leur langue.

Après une, deux heures passées à regarder filer l'eau du fleuve, nous remontâmes vers la place, en évitant le plus possible les bourbiers; on aurait dit que tout Ville-Marie avait choisi de s'y rendre. C'était jour de marché et les vieilles banquettes de bois étaient maintenant occupées par les étalages des marchands. On y vendait encore les bons fruits de l'automne, raisins, pommes, blé d'Inde, pommes de terre, courges, légumes de toutes sortes et même quelques poires, du cidre, de la bière et du gibier en abondance. Au centre de la rue, les conducteurs de carrosses et de charrettes se frayaient un chemin dans les bourbiers, à coups de fouets et d'injures.

Migwa marchait derrière moi, comme une servante, selon son vœu. Politesse oblige, je saluais du chef toutes les connaissances que je croisais et Dieu sait si elles étaient nombreuses, ce matin-là.

Je te mentirais si je te disais que je me sentais parfaitement à l'aise. J'avais l'impression que tout le monde nous dévisageait. Ah! ce n'était pas tellement le fait que tous sachent que nous avions passé la nuit ensemble, Migwa et moi — bien qu'à y réfléchir, c'était impossible qu'ils aient pu le deviner — non, c'était plutôt, tu vois, qu'ils s'imaginent que Migwa n'était qu'une autre Indienne à coucher avec un soldat, voilà ce qui me dérangeait le plus. Il n'aurait pas fallu que quelqu'un de ma compagnie se moque ou nous apostrophe! Je te jure qu'il aurait avalé le contenu de tous les bourbiers de la ville!

Mais je m'inventais des histoires. Les seuls, tu vois, à s'être vraiment rendu compte de quelque chose, c'était les Labrie. Tu sais comment ils ont réagi? En nous servant un vrai déjeuner de fête, bons vins de Bordeaux y compris! Un vrai petit Noël! Ce vieux fou de Louis m'appelait en riant «beau-fils» gros comme le bras, Marianne embrassait Migwa et nous forçait à rester à table même si nous étions plus gavés que des oies du vieux pays!

À midi, leur décision était prise, et elle était irrévocable: dès le lendemain, Louis irait voir Jacques Leber qui convaincrait à son tour mon capitaine de me signer un billet de logement pour que j'aille «vivre en bonne intelligence», comme on disait alors, avec mes amis.

— Vous prendrez l'ancienne chambre de Geneviève, Nicolas. Viens Migwa, allons préparer votre cabane...

Cela n'aurait servi à rien de résister. Je n'en avais d'ailleurs aucune envie. Une seule nuit avec Migwa et j'étais envoûté, séduit. Pour la première fois, j'avais la certitude d'avoir une place, ici-bas, et ailleurs que dans une caserne!

Les jours suivants passèrent comme dans un rêve. Les après-midi, je surveillais les travaux d'une équipe de manouvriers qui préparaient le tracé du nouveau mur d'enceinte de la ville, ou encore j'arpentais les rues de Montréal en m'arrêtant ici et là, pour jaser avec mon monde.

Les matins, de quatre heures à midi, je les passais à la cuisine avec Marianne et Migwa, à faire du pain, des brioches et toutes manières de pâtisseries. Eh oui! c'est de ta grand-tante Marianne que j'ai appris ce beau métier!

Bah! tu sais, nous ne tenions pas une vraie *boulenjarîo* comme celle que j'ai eue plus tard mais, quand même, nous faisions quatre fournées par jour, vingt-quatre belles grosses miches par fournée! Et tout était vendu à l'avance. Nous travaillions fort mais ça en valait la peine.

Quand mon ami Louis ne besognait pas à sa boutique, il parcourait la ville et la campagne environnante pour faire «la récolte de ses fourrures», comme il disait. À voir la moisson de belles chevelures qu'il rapportait de ses tournées, il n'avait pas son pareil pour convaincre les dames de s'en défaire, de leur toison d'or.

Le soir venu, après les besognes habituelles, nous nous racontions chacun notre journée. De sa belle écriture, Marianne consignait, dans son grand registre, le résultat des transactions de la journée. Puis nous montions nous coucher, chacun dans notre chambre.

Migwa et moi parlions tard dans la nuit. D'étranges conversations, ma fille, des conversations de l'intérieur de l'âme. Attends que je t'explique... Tu le sais, Migwa avait été enlevée toute petite à ses parents. Conséquemment, elle avait très peu de souvenirs de sa première enfance.

Quand je lui demandai, un bon jour, comment elle avait pu apprendre tant de choses, elle me répondit qu'à Lachine le sieur Leber accueillait souvent dans son manoir des voyageurs et des Indiens revenant de toutes les régions du pays, aussi bien des territoires etchemins ou abénaquis, qu'iroquois, miamis, outagamis, et que, très souvent, quand elle était enfant, Louis l'avait amenée là, revoir Leber; elle y avait passé des jours et des heures à écouter les relations des visiteurs.

Sa volonté de tout savoir sur son pays d'origine avait fait le reste. Elle prenait souvent plaisir à m'illustrer comment toutes ces nations étaient différentes et comme leurs coutumes variaient d'une à l'autre.

Il n'y avait que les Apaches dont elle n'aimait pas parler. Ceux-là, elle ne pouvait prononcer leur nom sans pâlir:

— Des barbares, Nicolas, des Sauvages! Des salauds qui accusent une femme d'adultère sous n'importe quel prétexte et qui, pour la punir, la traînent dans une prairie et la violent à tour de rôle!

Au début, je pensais qu'elle fabriquait tout cela mais, après quelque temps, je dus admettre que ses descriptions correspondaient exactement aux récits que m'en faisaient les voyageurs. Alors, je me disais:

54

«Bon, elle a une bonne mémoire et elle n'oublie pas un seul mot de ce que les voyageurs de passage racontent à Labrie sur ces tribus lointaines.»

La vérité, je la sais maintenant, et je vais te la dire comme je la pense: il n'y avait pas que les relations des voyageurs qui expliquaient sa science! Migwa, elle-même, voyageait dans ses rêves et en collectionnait les souvenirs.

Te rappelles-tu comment je t'ai montré à te débarrasser de tes mauvais rêves, quand tu étais toute petite? Je te disais: «Retournes-y vite, dans ton rêve, en serrant les poings. Chaque fois que tu te sentiras menacée, tu ouvriras ta main; dans cette main, il y aura une boule de feu violette. Elle s'envolera d'elle-même vers la chose qui te fait peur et elle la fera disparaître. Elle fera disparaître toutes tes peurs, même s'il y en a des milliers...» Tu te rappelles? Après cette nuit-là, plus de cauchemars de petite fille apeurée!

Cette façon de maîtriser ses songes, c'est un de ces outils de l'âme humaine que m'a légué Migwa. Et c'est le premier secret que j'aimerais te donner en guise d'héritage. En souvenir de Migwa.

Marilou, au plus profond de toi, chaque instant de ta vie, tu ne seras jamais seule, ou dépourvue, si tu sais, comme elle, trouver la porte d'entrée de ton monde intérieur et y boire à la source de ta vie. Tu en connais déjà le premier paysage: cette source limpide, rieuse, avec, au fond, des galets noirs, luisants et doux comme le velours. Un bel arbre, à droite, en amont du ruisseau, un grand chêne contre lequel tu peux rêver à loisir.

Chaque personne, ma petite, a le même paysage quelque part, au fond de son âme, qu'elle soit Indienne ou visage pâle. Là, au pays du rêve éveillé, toutes les âmes humaines se rejoignent et partagent les mêmes souvenirs.

Migwa me disait que ce monde ressemble à un gigantesque oignon, composé de multiples pelures qui sont autant d'univers, de passés, d'avenirs, de présents et que tous les grands sages s'y promènent à volonté. Chaque personne est reliée, par son âme, à un univers immense, mystérieux, aussi étonnant mais aussi familier que l'est notre terre, et cet univers est le même pour tous.

C'est dans ce pays de l'âme que, toute petite, à force de vouloir et d'aimer, elle avait rencontré les vieilles âmes de sa tribu. Elle avait tout appris d'elles, l'histoire de sa famille, de sa tribu, tous les secrets qu'on peut découvrir quand on voyage à l'intérieur de soi.

Je ne t'en dis pas plus. Ces choses-là sont à découvrir par soi-même, les mots n'existent pas pour les exprimer. Pense à ton premier paysage, cette nuit, avant de t'endormir. Tôt ou tard, tu t'y promèneras! Bonne nuit, ma biche.

IV

L'automne, cette année-là, fut doux et pluvieux. Où était-il donc ce «terrible hiver» dont on m'avait tant rebattu les oreilles? Nous étions à la mi-novembre et le sol n'était pas encore gelé. Cela rendait les sentiers et les routes totalement impraticables. Les trottoirs de bois, ces fameuses vieilles banquettes alignées devant les maisons et qui accueillaient toute la vie de la ville durant la belle saison, disparaissaient sous des centimètres de boue. Ils devenaient si glissants que tous empruntaient le centre de la route au risque d'enfoncer jusqu'au genou dans un bourbier, ou pire d'être renversés par un de ces fous qui conduit son attelage à toute allure en plein cœur de la ville, forçant les passants à se jeter jusqu'au ventre dans la boue pour l'éviter.

Louis m'offrit de profiter de la clémence du temps pour entreprendre un petit voyage, jusqu'à Lachine, où il devait livrer deux de ses plus belles perruques, ses «chefs-d'œuvre à poil», à Jacques Leber.

— Notre seigneur, me dit-il, préfère son vieux manoir retiré aux charmes boueux de notre Ville-Marie. Plus il vieillit, plus il devient solitaire, le bougre!

L'idée de découvrir un nouveau lieu m'enchanta. Nous partîmes donc de bon matin, en compagnie de Jean et Pierre Sioui, les deux jeunes Indiens qui accompagnaient Louis dans tous ses déplacements.

— Ce sont mes frères de sang, mes fils, j'ai autant confiance en eux qu'en moi-même... Toi, Nicolas, ricana-t-il d'un air moqueur, accepterais-tu de devenir mon frère de sang?

Je ne répondis pas à sa boutade. Si l'occasion s'en présentait, il verrait la valeur de mon amitié, ce scalpeur de têtes blondes.

Passées les îles, le temps des rapides, et nous étions arrivés. Nos Sioui savaient manier l'aviron, je t'en passe un papier! Laisse-moi te décrire l'endroit. D'abord, un magnifique jardin tout enclos, fleuri, avec potager et verger, et une vraie pelouse tondue comme un mouton au printemps. Le manoir, crépi de blanc, deux étages avec un beau toit à deux eaux recouvert de bardeaux de cèdre; là-bas, les bardeaux, ça ne pose pas problème. Si le manoir brûle, ce n'est pas comme ici où toutes les maisons sont collées les unes aux autres. Tu sais ce dont je parle, petite. Jamais je n'oublierai l'incendie de notre auberge, consumée jusqu'à ses fondations, avec le grand couvent, l'Hôtel-Dieu et quarante-six autres maisons! Nos bâtisses s'embrasaient mieux que des fagots, même avec leurs toits d'ardoise!

Le corps principal du manoir de Jacques Leber, flanqué de ses deux grandes cheminées, mesurait trente pieds de long sur vingt-quatre de profondeur. Son aile, où se trouvaient les cuisines et les chambres de domestiques, trente-six sur vingt-quatre. Toutes les fenêtres étaient en vrais carreaux de verre. Maintenant, on peut se les procurer à fort prix, ces foutues vitres, mais à l'époque c'était rare.

L'intérieur du manoir n'avait rien à envier aux plus belles demeures montréalaises: parquets de bois franc, meubles d'ici et du vieux pays et même, à l'étage, à l'abri des regards des curieux, une bibliothèque. Oui, une bibliothèque entière. Des dizaines et des dizaines de livres, tous bien rangés sur leurs rayons de chêne. Jamais, je n'en avais autant vu! Mais attends que je te raconte comment je l'ai découverte, cette merveilleuse bibliothèque.

Je dois te dire tout d'abord que Jacques Leber, seigneur de Senneville et protecteur de ton grand-oncle Louis, utilisait son manoir pour y traiter, loin des oreilles indiscrètes, ses affaires les plus délicates; il y recevait ses principaux voyageurs. C'est là qu'ils négociaient leurs contrats; de là aussi partaient, à l'été, les convois. La présence de Jacques Leber dans son manoir si tard dans la saison, alors que la plupart de ses engagés étaient partis depuis belle lurette dans les pays-d'en-haut, me semblait quand même curieuse. Je ne pouvais la mettre sur le seul compte d'un besoin de solitude plus qu'incertain; Louis me blaguait certainement, Leber adorait la bonne compagnie! Je savais aussi que mon ami avait reçu, quelques jours auparavant, la visite d'un courrier en provenance des Trois-Rivières. Il était donc plausible que Louis et son seigneur aient à se voir pour brasser à nouveau de la monnaie de cartes! Mais pourquoi à Lachine? Détestait-il les bourbiers de Montréal à ce point? Ou avait-il des raisons plus sérieuses de se terrer là, dans ce manoir solitaire?

Je pénètre à la suite de mon perruquier dans le manoir, la tête pleine de questions. Dès l'instant où je franchis la porte, je m'en pose mille fois plus! Le salon est rempli à craquer de gens de bien, et pas n'importe lesquels. Notre seigneur Leber, qui nous fait l'honneur de la tournée, me présente tour à tour monsieur Étienne Rocbert de la Morandière, commissaire du roy, Charles Alavoine, capitaine de marine, François Le Verrier de Rousson, futur chevalier de Saint-Louis — on allait l'apprendre au printemps avec l'arrivée des premiers courriers du roy — et plusieurs autres gentilshommes dont François La Tour, mon propre sergent, qui avait l'air aussi étonné que moi de nous trouver là, alors que tous deux, en principe, devions vaquer à nos tâches de soldat... C'est ce coquin de Labrie qui ricanait dans sa barbe en nous voyant si hébétés!

Tout ce beau monde était attablé devant les restes d'un repas auquel j'aurais volontiers participé. Je n'avais rien mangé depuis le matin! Mais nous arrivions trop tard et je restai sur mon appétit. Ma curiosité également dut jeûner, ce soir-là, car la discussion se termina avant que je puisse vraiment en saisir le sens. Je compris vaguement qu'on parlait des Anglois et des succès qu'ils remportaient auprès des Indiens avec leur marchandise d'échange... Que cette marchandise était de meilleure qualité que la nôtre... De la Morandière, lui, s'excitait à l'idée que les grands marchands de la ville puissent se réunir officiellement, entre eux, pour discuter de leurs affaires, dans un lieu qu'il nommait mystérieusement «la Bourse». À la fin, un petit homme, noué comme un vieux cèdre rabougri, habillé mi en curé, mi en sorcier huron, prit la parole d'une voix nasillarde, les exhortant de cesser sur-le-champ la cueillette du ginseng, de crainte que cet aphrodisiaque disparaisse à tout jamais de la colonie.

Il gesticulait si drôlement, je le crus fou! Et puis, n'avait-il pas entendu parler de l'immensité du pays? Si le ginseng poussait partout, comment pouvait-il prétendre qu'on l'ait déjà cueilli sur tout le territoire?

Fou, mais sympathique. Il était jésuite. Oui, jésuite et, malgré cela, sympathique! Il se nommait Lafitau. Et il savait de quoi il parlait; le ginseng, c'est lui qui l'avait découvert! Il allait publier sa découverte dans un magnifique ouvrage: *Mœurs des Sauvages américains comparées aux mœurs des premiers temps*. Ce livre-là, nous disait-il, contenait une mine de renseignements, pas seulement sur les us et coutumes des Sauvages, mais aussi sur les plantes médicinales indigènes. Je ne me rappelle plus trop s'il réussit à les convaincre ou pas. Il était trop tard pour agir, de toute façon. Du ginseng, il n'y en a plus depuis belle lurette!

Pour tromper ma faim, je m'amusais à détailler chaque visage, à mémoriser les tics de ces importants personnages du commerce pour suivre une discussion qui, de toute façon, ne me regardait pas. D'ailleurs, ils auraient tous trouvé ridicule qu'un simple soldat comme moi prétende s'y intéresser!

Chacun repartit bientôt, Dieu sait dans quelle direction, nous laissant seuls avec le seigneur Leber et un autre curieux personnage, Jean-Baptiste Amyot! Imagine-toi un gaillard solide de trente quelques années, presque aussi large que haut, aux cheveux châtains, aux yeux jaunes. Un chef! Chacun de ses voyages aux grands lacs était couronné de succès. Une tête de loup, une poigne d'acier. Un *deichabitrat,* comme on disait chez nous, un homme que rien n'arrête! Ce gaillard-là pouvait casser une table de chêne épaisse comme ça d'un seul coup de poing. Et agile comme un carcajou.

— Mon bon Louis, sieur Personne, petit Jean, commença le seigneur Leber, un peu pompeusement, je suis content que nous soyons enfin réunis tous les quatre...

Tu imagines mon étonnement! De quoi un grand marchand comme lui pouvait donc se réjouir de notre présence à nous, gens médiocres, enfin, je parle surtout de moi, simple soudard de la Marine...

— Je suis heureux, continua-t-il, parce que je sais qu'à nous quatre nous pouvons contribuer grandement à mettre en péril la suprématie angloise dans les pays-d'en-haut. Rien de moins! Mais, avant de vous parler plus avant de cette belle aventure qui s'offre à nous, vous devez me promettre le secret le plus absolu!

Leber nous fit signe de le suivre à l'étage. Je fermai la marche et les suivis jusque dans une grande pièce qui occupait l'extrémité sud de la maison: la bibliothèque! Quatre murs tapissés de livres, du plancher au plafond, avec, au centre, une grande table de merisier entourée de solides fauteuils.

Jamais, je te le répète, je n'avais vu autant de livres. Ils me fascinaient tant qu'il fallut que Louis me secoue le bras pour me ramener à l'ordre. Le sieur Leber se tenait debout à la tête de la table, sa dextre posée à plat sur une bible.

— Mes amis, j'aimerais qu'à tour de rôle vous veniez prêter serment après moi, que jamais, tant que nous vivrons, nous ne dévoilerons le secret qui va bientôt nous unir... Cela, je le jure sur ma foi!

Le silence tant que nous vivrons! Mes bons amis! Je reste seul avec cette obligation, seul avec le triple fardeau d'avoir vécu leur fin du monde, à chacun d'entre eux. Tu vois, la tristesse du grand âge, c'est d'être condamné à vivre ses amitiés au passé.

Leber nous fit asseoir et déroula devant nous une grande carte des territoires de la Nouvelle-France jusqu'aux confins des terres contrôlées par les Anglois. C'était de loin la plus belle et la plus élaborée que j'aie jamais vu. Même le ministre de la Marine n'en avait pas une aussi détaillée.

Pour mon bénéfice surtout, je présume, et pour celui de Louis, il demanda à Jean-Baptiste Amyot de nous l'expliquer.

Je connaissais déjà le nom Michillimakinac et celui de la baie des Puants, de fort Cadillac, mais c'était la première fois qu'on m'indiquait où ces endroits se trouvaient. Ce qui me fascinait surtout, c'était de voir à quel point notre Nouvelle-France, celle que nous occupions réellement, était minuscule comparée à l'immensité du territoire appartenant aux peuplades dont j'apprenais l'existence: Loups, Tsonnontouans, Ériés, Illinois, Osages... Et à d'autres dont les noms m'étaient plus familiers: les Miamis, les Pétuns, les Hurons, les Outaouais, les Sauteux, les Renards... et la grande tribu blanche des Anglois, dont voulait nous entretenir Leber.

— Messieurs, nous dit-il, la Nouvelle-France n'est pas encore perdue, mais elle le sera fort bientôt si notre glorieux roy ne se décide pas enfin à passer les ordonnances nécessaires au peuplement de notre colonie. Tous les avis de nos voyageurs concordent: la Nouvelle-Angleterre se peuple à un rythme quatre, voire six fois plus rapide que le nôtre.

— Monsieur de la Morandière me le confirmait tout à l'heure, nous sommes actuellement un peu moins de dix-huit mille sujets de Sa Majesté contre au moins soixante mille Britanniques. C'est une situation intolérable! Et qui aura des conséquences graves sur l'avenir de la Nouvelle-France, bien sûr, et, à très court terme, sur notre économie! Nous devons tout faire en notre pouvoir pour la corriger... Surtout avec ce foutu traité d'Utrecht qui livre aux mains des Anglois quelques-uns de nos plus beaux joyaux! Il n'y a que les naïfs qui croient à la paix actuelle... Nous sommes en guerre! Nous nous battons à coups de peaux de castors, et nous perdons bataille après bataille!

— Jean-Baptiste, ces messieurs connaissent la camelote que nous offrons à nos Indiens en échange de leurs fourrures. Montre-leur un peu ce que leur offrent, pour les mêmes peaux, ces maudits Anglois: haches du plus bel acier, belles couvertures de laine rouge comme le sang, et noire comme l'enfer, de bons fusils, rudimentaires mais fiables.

Les Anglois, ma fille, savaient faire, et cela n'a pas changé. En un peu plus de trente ans, la situation grave dont parlait Leber est devenue alarmante. Ce n'est pas la première fois que je le dis, j'ai bien peur que vous finissiez tous vos jours en terre angloise!

L'idée du seigneur de Senneville était simple, et plus modeste que ses nobles propos: les autorités, nous répétait-il, ne songeaient qu'au profit à court terme et trahissaient les véritables intérêts de la colonie; il fallait prendre les choses en mains sans laisser passer la belle occasion lucrative...

— Personne, continua le seigneur Leber, je sais que vous avez surpris le petit jeu auquel se livre votre bon ami Labrie de temps en temps aux Trois-Rivières. Ce que vous ne savez pas, par contre, c'est que ce jeu n'était qu'une expérience, une expérience concluante: notre fausse monnaie a été écoulée sans que personne ne la distingue de l'authentique.

«Devinez-vous notre plan, soldat? Nous allons tout simplement mettre le grand talent du sieur Lacerte à profit: notre brave Amyot ci-présent et ses fidèles voyageurs vont tenter de convaincre les voyageurs de nos territoires qui font affaire avec les Anglois de nous revendre la marchandise angloise, bibelots, haches, poignards et surtout ces couvertures de laine que tout le monde s'arrache, contre notre fausse monnaie. À très bas prix! Et ils feront de même avec tous les coureurs des bois hors-la-loi qui descendent jusqu'à Albany.

«Chacun de mes convois partira ensuite avec cette nouvelle marchandise de troc pour acheter les plus belles fourrures! Tout le monde y gagnera: vous-même, mes voyageurs devenus trop nombreux et que je n'occupe pas comme je le devrais, monsieur Lacerte, mon ami Louis, et ma seigneurie qui, ne soyons pas gênés de le dire, empochera une bonne part des profits; même la sainte Église, à qui je paierai la forte dîme, sera gagnante! Que dis-je l'Église! La Nouvelle-France tout entière! Grâce à nous, elle sera enfin en mesure de concurrencer la Nouvelle-Angleterre.»

Le plan n'était pas bête. Il n'allait pas, à lui seul, changer la face des Indes, mais il aiderait à sa façon à freiner la progression des Anglois. À condition, bien sûr, que la fausse monnaie soit parfaite, que les voyageurs d'Amyot trouvent assez de preneurs pour leur monnaie, et qu'ils arrivent à tout écouler. Nous pouvions faire confiance à Jacques Leber; tous connaissaient son habileté en affaires! Après tout, n'était-il pas l'un des plus riches marchands de la colonie?

Tu te demandes sans doute de quelle utilité je pouvais être à ce seigneur, n'est-ce pas? Il me restait encore une année à servir dans les armées du roy et après, tiens! ce n'est qu'à ce moment-là que cela devint clair pour moi. Après, pas question que je retourne là-bas, en Périgord ou à Paris. Non, je resterais ici, en Nouvelle-France, près de mes nouveaux amis, là où tout était encore possible! Et je commencerais ma vie.

— Nicolas Personne, je vous connais de réputation depuis fort longtemps. N'étiez-vous pas en garnison en même temps que moi à Bordeaux, puis à Paris?

— Oui, sire...

Tu penses, si j'étais dans mes petits souliers. Se rappelait-il de cette nuit d'auberge où je l'avais renvoyé chez lui, *manu militari*, c'est le cas de le dire?

— De tous les soldats que j'ai connus, vous étiez certainement le plus calme, le plus sobre... et le plus discret!

Le blagueur! Mais il disait vrai! À la compagnie, j'étais le seul à pouvoir arraisonner une bande de soudards. Ça allait tout seul! Je savais leur parler, sans doute. Et s'il y en avait un qui vraiment n'arrivait pas à entendre raison, je l'assommais proprement d'un bon petit coup de poing sous le menton. En deux mots, mes braves me connaissaient. Plus ils buvaient, plus ils me trouvaient sympathique. Nos officiers le savaient bien! À qui, penses-tu, qu'ils demandaient de ramener leur troupeau au bercail? À ton père! C'était la blague dans tout le régiment. «Quand Personne vient à toi, braillaient-ils à tue-tête, c'est que tu as trop bu!»

— Nicolas, me dit Leber, je vous offre de doubler votre solde si vous acceptez de vous associer à nous durant cinq ans pour mener à bien ce projet, avouez-le, aussi amusant que louable.

— Mais, mon seigneur, comment pourrais-je donc vous être utile?

— En faisant, mon bon ami, ce que vous faites le mieux. En accueillant chez vous, dans votre future auberge — et je te souligne qu'il insista sur le mot — nos bons voyageurs! Et en acceptant que votre sous-sol devienne notre entrepôt où certains laisseront une partie de leurs «bagages» que d'autres emporteront à leur tour vers leurs nouveaux propriétaires. Nicolas, si vous le voulez, et Louis m'a assuré que vous en rêviez, vous deviendrez propriétaire de l'auberge la plus respectable de tout Ville-Marie.

— Respectable?

Il y allait fort, mon bon seigneur. S'il y avait quelque chose de peu respectable, en Nouvelle-France comme ailleurs, c'était une auberge!

— Parfaitement, respectable! Il le faut. Une auberge modèle, irréprochable, où, grâce à vos talents particuliers, il n'y aura jamais ni bagarre, ni soûlerie! Nul ne songera donc, monsieur de la Personne, à aller fouiller dans les caves d'un tel établissement pour voir s'il ne s'y cache pas quelque chose d'illicite, ou dans les combles pour voir si on n'y fabrique pas de fausse monnaie! Vous saisissez?

C'est toi qui es toute saisie, ma pauvre petite. Rassure-toi, tu vois bien que personne ne s'est jamais rendu compte de rien. Je te le répète, en dehors de nous quatre et, forcément, de ta mère, tu es la seule à connaître notre secret.

Leber devait le savoir, qu'en bout de compte, c'est encore l'économie du vieux pays qui allait souffrir et il comptait sur mon ignorance du commerce pour me convaincre. Si c'était le cas, c'était de bonne guerre. De toute façon, nous en avons tous profité largement, de son idée. Et j'aime mieux croire que Leber, grâce à ses contacts incessants avec Bordeaux et La Rochelle, savait déjà autre chose de plus grave encore: c'est que la fameuse monnaie de cartes ne valait rien! Les représentants du roy en distribuaient beaucoup trop de leur propre chef.

Leber eut la délicatesse de me laisser une nuit de réflexion. Nous restâmes longtemps à deviser dans la bibliothèque devant tous ces livres et des liqueurs du vieux pays. Puis on nous reconduisit à nos chambres, dans l'aile du manoir. Je m'allongeai sur la paillasse et m'endormis aussitôt, sans même me déchausser.

Le lendemain, ma décision prise, je voulus aller me promener près de la rive, histoire de vider mes poumons des brumes de la nuit. J'ouvris la porte et je tombai presque à la renverse! Il avait neigé, Marilou... Ma première vraie neige. Et pour une première, je te jure que le grand manitou n'avait pas lésiné sur la quantité!

C'était comme si, tout à coup, les arbres et les buissons avaient retrouvé toutes leurs feuilles, mais des feuilles d'un blanc cristallin, scintillant de mille diamants au soleil du matin. J'y communiai, à pleines mains, à pleines dents. Je me roulais dedans comme un jeune chien, sans même me rendre compte de sa froideur tant je la trouvais douce et merveilleuse. Ah! la première neige! Chaque fois, mon Nouveau Monde!

* * *

Tu dors profondément, Marilou. Moi, je n'ose fermer l'œil, même pour quelques minutes. Je veille Madeleine. Mes voyages au pays de l'âme suffisent à mon repos.

J'ai pour fille une collectionneuse de temps passé. Comme elle m'écoute patiemment, *ma bacheleto!* Elle donne l'impression que je lui déballe une précieuse marchandise de mille petites choses uniques au monde. Elle en fait l'inventaire: pas un bibelot, pas une seule peccadille n'échappe à son attention. Sa mémoire étiquette chacun de mes souvenirs et les range soigneusement. Je ne pourrais avoir de confidente plus fiable.

Ce n'est pas facile, déterrer sa propre histoire. La vérité est si évasive, et il est si difficile d'être honnête avec soi-même. Comment aurais-je pu y parvenir avec mes propres enfants? J'aimerais tellement qu'ils comprennent qui était le Nicolas Personne d'alors. On le disait calme, il n'était que silencieux. On le disait bon, il ne rêvait que de vengeance. On le disait sage; il hurlait toutes les nuits dans ses rêves. On le disait fort; sans sa rage, il n'était rien.

Un soldat comme des milliers d'autres, un homme qui ne s'imaginait pas un jour devenir autre chose que ce qu'on avait fait de lui. Surtout pas un père...

Ma pauvre Mado respire avec peine. Elle survit, recroquevillée dans son souffle, attendant que je la fasse entrer dans l'histoire de ma vie. J'ai peur qu'en parlant d'elle je précipite son départ.

Quelle vie aura donc été la sienne? Trois enfants, d'abord, l'aîné Hypolite, notre grand voyageur, aussi grand que son père. Charles, plus trapu, fort comme un taureau, je suis fier de le dire, un des meilleurs maîtres forgerons de toute la Nouvelle-France. Et Marilou, ma confidente, l'assistante de sa mère auprès des autres petits qui ont suivi: Agathe-Élisabeth, morte trois jours après sa naissance, en 1723; Michel, mort à l'âge de trois ans et demi; Toussaint, à vingt-deux mois et Marie-Amable, à vingt mois! Quatre petits anges, morts avant de quitter le paradis de la première enfance.

Nos intrigues, nos haines, nos peines, nos plaisirs, toute cette agitation de nos premières vies, comme j'ai de la difficulté à les trouver réelles aujourd'hui. Même la mort de nos enfants — que ma belle Mado me pardonne — même leur mort, je la trouve acceptable maintenant, dans l'ordre naturel et inéluctable des choses.

Oh! J'en souffre encore. Chaque mort est en moi un chien fou qu'un rien éveille et qui s'acharne sans relâche sur un lambeau de mon cœur. Pourtant, cette douleur m'appartient, elle fait partie de moi, au même titre que mes joies et je ne saurais, je ne voudrais vivre sans elle!

À vingt ans un fou, à trente un soldat, à quarante un amoureux, à cinquante un père trop sévère et maintenant un moribond abandonné par les siens. Voilà! Un vieux fossile radotant une histoire ancienne à une jeune femme qu'il aime plus que tout en ce bas monde, après Madeleine.

Mado, ma femme, m'entends-tu? Je t'aime. Laisse-moi te chanter notre berceuse favorite, tu veux?... Écoute:

«Quand lo soleih d'avril reberdi la montanhas
Que lo rosinholet nos dit son chan d'amor.
Aimi me permenar din que las campanhas
Dins aquelas campanhas out vegueri lo jorn.
Tot vos flatalos eis dins aquel bel païs
Los riches patura j'e los champs de blad d'or.
Pôd pus s'en séparar l'estranjié que l'a vist.
Occo 'es lo Périgord, occo 'es lo Périgord.»

«Quand le soleil d'avril reverdit les montagnes
Et que le rossignol nous dit son chant d'amour
J'aime me promener dans ces douces campagnes
Ces douces campagnes où j'ai vu le jour
Ah! les grandes forêts de mon si beau pays
Les riches pâturages et les champs de blé d'or
Ne peut plus le quitter l'étranger qui le vit
Voilà le Périgord, voilà le Périgord.»

* * *

Je suis rentré en coup de vent à la cuisine, chaude avec ses fours allumés, les vêtements pleins de neige pour me retrouver nez à nez avec le sieur Leber et ce gredin de Louis qui m'attendaient tous deux, un grand sourire moqueur aux lèvres!

— Cher curieux personnage et néanmoins bon ami, me lança mon perruquier, avez-vous pris votre décision? Ou la neige vous a-t-elle gelé le ciboulot?

Je lui répliquai sur le même ton:

— Si, votre seigneurie, je l'ai prise! Je daigne consentir à votre noble et généreuse proposition.

C'est ainsi, ma fille, que le meilleur perruquier-cordonnier de Nouvelle-France, son plus riche marchand, son plus célèbre chef d'équipage, à part bien sûr Radisson et La Vérendrye, et le plus anonyme des soldats devinrent complices d'un dessein vraiment pas catholique... presque jésuite, au fond, quand on y réfléchit!

— Vous aimez la neige, soldat, c'est bon signe! Vous allez vous plaire ici, me dit Leber... Vous ne ressemblez guère à ma très célèbre sœur qui se terre depuis 33 ans dans son cloître, derrière la chapelle de l'Hôtel-Dieu. Celle-là m'a répudié tout aussi catégoriquement qu'elle renie l'hiver.

Cela me faisait un curieux effet, petite, d'entendre cet homme parler en mal de sa propre sœur. Mais il faut le comprendre. Il lui remettait tout simplement la monnaie de sa pièce, elle qui l'avait condamné aux feux éternels pour avoir dilapidé sa part d'héritage en fêtant avec ses amis.

C'était une femme de pouvoir, aussi fine en affaires que son père. Et aussi têtue! Elle avait refusé de quitter son cloître pour tenir la maison familiale, au décès de sa mère; le pauvre veuf en était mort de chagrin. Cette dévote-là, ma petite, toute célèbre et puissante qu'elle eût été, avait le cœur ratatiné comme une vieille patate! Ah! ton cœur vaut cent fois le sien! Toi, tu restes auprès de tes vieux parents, même si ton galant rêve de t'enlever et de t'amener au bout du monde. Ça ne tardera plus, va!

Ce matin-là, nous décidâmes de la marche à suivre. Le cerveau de Leber fonctionnait comme celui d'un général en bataille: d'abord, rassembler, au printemps, tous les renseignements possibles sur les lieux de troc des Anglois, dresser une liste des acheteurs possibles et de leur territoire de traite, y assigner des voyageurs fiables et discrets, munis chacun d'un généreux magot de fausse monnaie. Cela prendrait une bonne année aux voyageurs de Jean-Baptiste Amyot. Puis, une fois prêts, Louis et moi descendrions aux Trois-Rivières tenter de convaincre les Lacerte de venir habiter Montréal. Dans le sous-sol de ma future auberge, nous pourrions quadrupler notre production.

À leur arrivée à Montréal, on installerait les Lacerte à loyer près de chez Louis. Guillaume et ton oncle Jean-Charles, son fils aîné, pourraient commencer à produire sans délai. Cela nous mènerait au début de l'été suivant. Et puis... Et puis, je prendrais la relève! Dans une belle auberge toute neuve, une auberge bruyante comme il se doit, où il serait normal de voir s'attarder des voyageurs de toutes les régions du pays, venus chercher leur monnaie de troc ou leur matériel.

Nous ne partîmes qu'à la nuit, une nuit magique, merveilleuse, comme tout ce qui semblait m'arriver en Nouvelle-France. La lune presque pleine, lumineuse comme un soleil brumeux, un soleil d'eau, et la neige, sur la rive, qui coiffait la ligne noire et mouvante des eaux, une neige blanche et froide comme si on avait tondu les nuages et que leurs boucles couvraient le sol, habillaient de dentelles givrées les branches des feuillus et servaient d'étoles aux épinettes et aux sapins.

V

Notre canot filait droit dans le courant. Ville-Marie m'apparut là où je n'y croyais plus, tout entier à l'onde miroir de lune, au silence et à la joie merveilleuse de tenir, sur mon cœur, sous mon manteau de cuir et de poils Sauvages, un livre, cadeau incomparable de mon seigneur Leber, le premier que j'aie possédé de toute ma vie: les *Essais consubstantiels à son auteur et membre de sa vie* par Michel Eyquem de Montaigne.

Ce grand homme, ce géant, avait écrit: «Je sais bien ce que je fuis, mais non pas ce que je cherche.» Moi, l'objet de ma quête, je l'ai trouvé ici, dans ces terres Sauvages du bout du monde. Ce qu'on cherche, c'est toujours le hasard qui nous l'apporte.

Migwa avait mis en mots ce que je ressentais au fond de moi depuis toujours: ni le roy, ni l'Église, ni quiconque n'a le droit de décider de la valeur ou de l'importance d'un être humain. Ce que je cherchais, c'était peu de choses et pourtant blasphème; je voulais être mon propre roi. Et que chacun soit son propre souverain. Ce souverain réside aussi en ton sein, Marilou; il y règne en maître absolu et ses pouvoirs sont incommensurables.

Holà! Je m'égare! Revenons à ce premier hiver. La tournée des voisins, les tempêtes, les jours de grand froid et les dégels, les festins, les fêtes, les danses et les chants destinés à tromper l'hiver et ses faux printemps. Un hiver comme tous ceux que j'ai vécus depuis, l'hiver que tu connais.

Dieu ce que nous y avons fêté! Quand les Labrie ne recevaient pas, nous étions invités chez les voisins, et les voisins des voisins. De la Noël au Carême, pas une soirée seuls, en famille. Je comprenais enfin pourquoi Marianne Labrie avait passé tout l'automne à cuisiner et à mettre en conserves fruits et légumes, dans le lard, le miel, le sel, l'eau-de-vie et le vinaigre.

Nous ne chômions pas non plus du côté de la boulangerie. Tous réclamaient notre bon pain et nos pâtisseries. Les de la Morandière, les Poirier, les Lalande, les Latour, les Alavoine, les Leblanc et tant d'autres venaient nous voir par affaires et pour le plaisir de jaser. Et en soirée, nous nous recevions à tour de rôle.

Je préférais de beaucoup les soirs où nous recevions à la maison. Ils me permettaient de demeurer auprès de Migwa, de bavarder à voix basse avec elle de sujets dont je n'aurais jamais su parler avec mes «frères de race», comme elle disait.

Jamais elle ne voulut nous accompagner à ces soirées.

— Vous êtes tous les trois dans mon cœur, dans mon esprit. Vous savez qui je suis. Si je ne vous aimais pas, je refuserais de coucher ailleurs que sur la terre battue de la cuisine, en contact avec le sol. Ces gens qui vous invitent ne me connaissent pas. Pour eux, je suis une esclave sauvageonne. Ils n'aimeraient pas ma présence, je ne profiterais pas de la leur!

Plus j'apprenais à la connaître et plus je savais que jamais je ne la connaîtrais vraiment. Cela me rendait triste, certains soirs, quand soudain, au détour d'un silence, je me butais à l'une de ses frontières secrètes, qu'elle me repoussait d'un geste doux mais définitif. Interdiction de pénétrer, comme si je risquais d'écraser de mes pieds aveugles des êtres vivants de la plus grande valeur... ou comme si je ne pourrais faire un pas sans être transpercé de mille flèches meurtrières. Me fuyait-elle ou me protégeait-elle?

Elle m'avait fait découvrir le monde du rêve, le pays intérieur. Elle m'avait accompagné durant mes premiers voyages, après le rituel du calumet et celui de l'amour. Mais, désormais, je devais voyager seul. Son monde m'était interdit. Elle n'y pouvait rien, je devais en découvrir l'entrée tout seul.

— Nos univers sont les mêmes, à l'origine. Nous sommes tous issus de la même terre, me dit-elle un soir, mais, beau guerrier blanc, tu es déraciné comme je l'ai été jadis. Nous sommes tous deux des créatures du vent. Nous sommes nés de lui. Nous avons grandi avec lui. Nous tourbillonnons un instant avec lui. Il nous a unis et il nous séparera.

Aime-moi maintenant, pendant que souffle le vent. Qu'importe le reste. Un jour je cesserai d'être tourbillon, je retournerai chez moi. À l'humus, au sable, aux sources, à la vie de mon peuple.

Je croyais la comprendre, je n'y entendais rien. Je n'ai saisi le vrai sens de ses paroles que des mois plus tard. Ses racines, déjà, la tiraient vers son destin, et leurs appels se faisaient de plus en plus pressants.

Toi aussi, Marilou, tu es enracinée en ce pays, sur cette terre. Migwa disait:

— Tous les êtres sont des arbres. Tous. Nos racines sont invisibles comme l'air, mais elles existent tout au cœur de la terre. Je ne peux pas me perdre. Les guides de ma tribu ont toujours été là, à côté de moi, à côté de mes jeunes racines. Et ils ont fait en sorte qu'elles ne dessèchent pas, qu'elles restent vives et souples pour me nourrir parfaitement.

«Mes guides ont accueilli les autres plantes et les êtres vivants de toutes les espèces pour que notre sol soit fertile et nous nourrisse indéfiniment. Plus je vieillis, plus mes racines plongent profondément dans mon sol natal et me relient à mes ancêtres, plus elles me supplient de ramener mon arbre dans sa forêt natale.

«Nous sommes ainsi. Mais ceux de ta race, Nicolas, se croient des oiseaux; bientôt, tu verras, ils s'envoleront. Ils règneront sur les arbres et les détruiront, en s'enfuyant ailleurs, toujours ailleurs, vers d'autres arbres à détruire. Mais, un jour, ils s'apercevront qu'ils volent en rond; on n'échappe pas à la terre. Et si Manitou leur permet d'aller au bout de leur folie, ils ne trouveront plus que le désert et que le feu du Soleil.»

Voilà ce qu'elle disait. Je l'écoutais, un peu triste, un peu en colère. Quand elle parlait comme ça, elle m'excluait de son univers dès les premiers mots. Des racines, avec elle, j'en aurais poussé tous les jours. Mais elle me disait que ça ne valait pas la peine: j'étais déraciné et j'allais le demeurer.

Elle avait sans doute raison! Mes premières, mes vraies racines avaient été arrachées du sol, brûlées, dans un incendie de sang. Jamais je ne pourrais les retrouver ici-bas. Il m'aurait fallu une autre vie. Ni catholique, ni réformé, ni soldat dans l'âme, mais l'âme dans le vent. Un vieux soldat d'une quasi-garnison, fatigué des voyages entre le vieux pays, les Antilles, la Guadeloupe et la Nouvelle-France.

Un soldat bientôt soldé, et qui savait que, s'il restait ici, il devrait se marier. Pas le choix, le mariage était obligatoire! Pour le peuplement de la colonie. Jamais Migwa n'aurait voulu se marier avec moi.

Se marier! Nos soirées d'hiver étaient faites pour cela: rencontrer les seules femmes disponibles de la colonie. Elles étaient si peu nombreuses! C'était risée de voir les hommes leur tourner autour comme des loups affamés après un daim.

Quand nous étions invités quelque part, Louis se faisait un point d'honneur d'arriver bon premier avec un gros sac de victuailles et souvent une bonne bouteille du pays, empruntée à la cave de monsieur Leber, et que Marianne allait remettre discrètement à la maîtresse de maison.

Presque toutes les maisons, à cette époque, étaient sur terre battue. Cette terre battue, on se faisait un point d'honneur de la rendre aussi plane qu'un plancher de bois. La plupart de nos gens y exerçaient leurs talents artistiques en dessinant avec de l'eau des motifs tous plus ou moins compliqués et stylisés les uns que les autres. Je soupçonne un peu que c'était aussi pour admirer ces motifs — et pas seulement pour être charitable discrètement — que mon perruquier nous poussait dans le dos pour que nous soyons les premiers à offrir nos étrennes.

Derrière chaque porte, un motif différent, une surprise. Chez les Lalande, des motifs indiens, chez Latour, inconsolable de ne pas être resté en Barbarie, des arabesques folles, toutes en volutes. Chez les désengagés, souvent, des dessins qui rappelaient ceux des îles du Sud.

La plupart des maisons n'avaient qu'une seule grande pièce. Certaines étaient si basses que je devais m'y promener menton sur la poitrine et genoux pliés. Cela me faisait marcher comme un ours! On alignait les cabanes-lits sur les murs, près de l'âtre; presque toutes étaient ornées de bas-reliefs du pays, sculptés main dans du pin blanc. Les plus belles planches atteignaient parfois trois pieds de largeur, tu te rends compte? Une belle cabane, c'est un nid, un secret d'amour. Avoir eu l'espace, je m'en serais fait une collection, tiens.

À part les cabanes, un ou deux bahuts, des bancs longs, des chaises parfois, une berceuse copiée sur les modèles anglois, une grande table basse, souvent tassée le long d'un mur pour faire place à la visite, et c'était tout.

Louis Labrie s'emparait d'autorité d'une des chaises et s'absorbait un long moment dans la contemplation des motifs du plancher.

Efflanqué comme il était, je crois qu'il n'aimait pas qu'on le voie debout, qu'on doive plier le cou pour le fixer dans les yeux. Il ne voulait sans doute pas blesser l'orgueil de qui que ce soit. C'était un doux, Louis; je n'ai jamais connu d'homme aussi attentif aux autres. Difficile à croire, hein, pour un homme qui racontait tout le temps.

Mais il savait écouter aussi, et observer. Il devinait les réponses que nous formulions dans nos caboches et discourait en conséquence. Quand il voulait charmer, personne n'y résistait tant il savait trouver les mots qui flattent et ceux qui enflamment. Et quand il voulait que vérité se fasse, il devenait habile comme le diable.

Tiens, le plus bel exemple de cela, je l'ai eu l'hiver suivant! Nous étions, une fois de plus, chez François Latour, ex-sergent de ma compagnie, celle de Le Verrier. Latour venait tout juste de se marier à Angélique Dardens, et on aurait peut-être mieux fait de les laisser tranquilles.

Ces jours-là, j'étais nerveux et fatigué. La fin de mon service approchant et malgré un avenir plein de promesses auprès des amis sûrs, j'avais plusieurs appréhensions sur cette vie sans uniforme. Et puis le long hiver m'avait vaincu, je le trouvais laid, sale et froid comme aucun autre. Enfin, crois-le crois-le pas, je m'étais fait voler mon précieux petit volume d'Eyquem de Montaigne. Cela nous semblait à peine croyable tant les vols étaient rares à Ville-Marie... du moins chez nos fréquentations.

Cela s'était passé deux semaines plus tôt, lors d'une soirée plus officielle qu'à l'ordinaire où Labrie avait invité des notables, des marchands et quelques sulpiciens dont le père Macé, tu sais, ce détestable qui avait fait le trajet Québec–Montréal avec nous et que nous croisions trop souvent dans ces soirées.

Heureusement, les curés partaient toujours tôt. Règle et réputation obligent, ils préféraient sans doute se soûler seuls, dans leur cellule; après leur départ, la vraie fête commençait. On sortait les violons, on coulait menuet sur quadrille sur menuet endiablé, et on chantait à tue-tête toutes les chansons du vieux pays et quelques mélopées Sauvages sur lesquelles c'était un vrai péché de voir les femmes onduler. Ça, c'était plutôt en fin de soirée, en préparation de la nuit.

J'avais remarqué, depuis la disparition de mon livre, que Louis faisait souvent allusion à Montaigne, dans ses conversations à bâtons rompus avec les curés. Il soupçonnait notre sulpicien, cela me devint vite évident. Ainsi, un soir de la semaine précédente, il avait demandé, l'air de ne pas y toucher:

— Père Macé, vous qui avez tout lu... Savez-vous ce que Montaigne disait sur la vérité?

François Macé, comme tous les intrigants, détestait être pris ainsi à partie. Lui, son genre, c'était plutôt les allusions malveillantes chuchotées à l'oreille, fiel et miel mélangés; la voix forte et les manières directes de Labrie l'indisposaient.

— Non, je ne le sais pas. Je ne lis pas Montaigne... Mais vous allez sûrement nous le dire...

— Exact. Montaigne disait, et tous nos dirigeants devraient l'entendre: «L'une des plus grandes sagesses en l'art militaire, c'est de ne pas pousser son ennemi au désespoir.» C'est pourquoi nous allons changer de sujet de conversation, bien que personne ici n'ait à se sentir visé.

Sur ces mots, Labrie poursuivit ainsi sa discussion avec mon chef de compagnie, Le Verrier.

Le piège était posé. Mais tu vois, pour ne pas s'y faire prendre nous-mêmes, il nous fallait des appuis de plus haut, tu penses! Sinon, nous aurions été vite accusés de quelque vétille et condamnés aux galères.

Ce fameux soir, donc, chez les Latour, nous étions accompagnés de monsieur Étienne de la Morandière, gentilhomme et grand magasinier du roy, qui avait été témoin de la déclaration de ce méchant moine. Louis s'assura qu'il allait assister également à la scène qu'il allait provoquer.

Profitant d'une discussion entre le père Macé et de la Morandière sur le sort à réserver aux coureurs des bois illégaux, mon vieux fou adopta son ton le plus claironnant et le plus sentencieux, et déclara:

— Messieurs, soyons généreux! Dès le début de ses essais, Montaigne affirme: «On ne corrige pas les autres en corrigeant le voleur qu'on prend!»

Macé, qui plaidait pour envoyer tous ces mécréants aux galères, ne put retenir sa langue et s'écria:

— C'est absolument faux, il dit tout le contraire!

Aussi simple que ça! Notre sulpicien venait de se trahir! En colonie, ma petite, ce genre de choses se règle vite. Monsieur de la Morandière, tout marguillier de Notre-Dame qu'il fût, fit exactement ce qu'on attendait d'un gentilhomme... et d'un ami!

En deux temps trois mouvements, il nous entraîna vers le séminaire et obtint du supérieur la permission de fouiller la chambre du moine. Nous ne mîmes que deux minutes à trouver mon précieux petit livre, accompagné d'autres «emprunts» dont un, fort rare, fit scandale: les *Ragionamenti*, un long roman rempli d'histoires scandaleuses et juteuses à souhait! Son supérieur n'eut pas le choix. Au printemps, Macé était déporté aux Antilles où il est sans doute mort d'une des centaines de maladies qui, dans ces faux paradis d'été perpétuel, vous foudroient plus sûrement que la foudre. Mais dis-toi que, pour le même forfait, un laïque comme moi aurait connu bien pire traitement...

Louis avait quand même joué avec le feu. Imagine un peu si Étienne Rocbert de la Morandière, par quelque relent de pudibonderie, avait pris ombrage à ce que Louis piège ainsi un membre du clergé. C'en était fini de nous.

Mais mon perruquier savait le garde-magasin du roy homme d'honneur et grand marchand. Un homme prospère, oui, mais loyal à ses amis... et fier compagnon de virée.

Nous faisions souvent la ronde des cabarets, tous ensemble, de la Morandière et Leber en tête, suivi de Louis, de Charles Alavoine et de Jacques Thibierge, notre meilleur arquebusier, capable de manier l'arc et le couteau aussi bien que l'arquebuse. Et Dieu merci pour ses talents. Sans lui, la plus longue de nos tournées de l'époque aurait été la dernière, du moins pour moi!

* * *

Bradassâ, bradassâ! Je te raconte tout ce qui me vient à l'esprit, dans mon entrepôt de souvenirs emmagasinés de mois en mois, de journées en journées. Dans le temps, plusieurs s'en étonnaient.

— Comment fais-tu, me demandaient-ils, pour te souvenir de tout cela?

— Je radote!

Et c'était vrai. Si je me rappelle encore, trente, quarante ans plus tard, c'est que je n'ai jamais cessé de me relater chaque instant passé ici, dans mon nouveau monde. Je me rappelle même l'anniversaire de mon ami Louis, tiens, le 5 août, et celui de Charles Alavoine, mon ancien capitaine dans la Marine de Sa Majesté. Lui, c'était le 19 janvier; il ne parlait pas, cet ours noir, il grognait! Les seuls mots que nous lui connaissions: «Attention!», «Repos!», «À boire!»

Je n'ai jamais su la date de naissance de Thibierge, notre autre compagnon de virée. Thibierge dit Bélair... Bel air parce que la tannerie de son père sentait si mauvais que je ne comprenais pas qu'on puisse vouloir y travailler. Mon Bélair, lui, y vivait, parmi une ribambelle de petits Bélair aux cheveux noirs comme du jais, avec une belle raie blanche au milieu.

Je ne t'ai pas parlé de madame du Verger, la digne épouse de monsieur de la Morandière. Celle-là, elle s'est tapée la quasi-totalité des soldats des quatre-vingt-six compagnies de la Nouvelle-France. D'où son surnom: de la Verge. Elle les sautait tous en cachette, en revenant de ses prières! Et malheur à l'amant indiscret. Elle en a certainement fait condamner une bonne douzaine, de peur qu'ils ne parlent. Le diable incarné, cette femme. Les matines à l'église, l'angélus au goupillon!

* * *

J'ai soixante-dix années sonnées. Ma vie s'achève. J'ai choisi qu'elle se termine avec celle de ta mère, ma compagne des vingt-neuf dernières années. Mon corps va mourir. Mon esprit, lui, va continuer. Je le crois, je le sais. Migwa, Catherine, Louis, tous mes amis de l'au-delà me parlent chaque jour et m'encouragent à te raconter nos vies jusqu'à la fin.

Mon seul regret, c'est que je ne reverrai pas mes fils avant de partir. À Hypolite, l'aîné, nous avons donné la meilleure éducation. C'est la fille d'Étienne de la Morandière elle-même, dame Élisabeth, qui s'en est chargé et lui a montré à écrire et à lire de la plus belle manière. Mes amis, les marchands, et les travaux à l'auberge se sont chargés du reste; Hypolite, tu le sais, est devenu un vrai négociant, dix fois plus futé que moi.

À vingt ans et deux jours, le 22 mai 1738, il signa son premier contrat de voyageur! Je le vois encore, penché sur l'écritoire dans l'étude de François Lepailleur, apposer sa belle signature sur le parchemin. Je me rendis compte soudain que ton grand frère était devenu un homme, un inconnu.

J'avais été tant occupé à... Non, ce n'est pas cela. Nous sommes passés l'un à côté de l'autre sans vouloir vraiment nous connaître. Était-ce ma faute ou la sienne? Peu importe. J'ai eu l'impression, dès les premiers mois de sa vie, qu'il ne voulait rien savoir de moi ou de ma présence. Et avec l'auberge, j'avais toutes les excuses valables pour ne pas demeurer auprès de lui. Ta mère lui suffisait amplement. Moi, j'étais de trop, un intrus, une menace.

La peur d'être père a fait le reste. Ah! se retrouver avec l'énorme responsabilité de faire d'un petiot un honnête homme alors qu'on se sait si imparfait! J'ai eu peur! Je me suis lancé à fond dans le travail, en me convainquant que c'était pour son bien.

Le lendemain de cette signature, Hypolite partait en canot, un des seize «mangeux d'lard», le sourire aux lèvres et la tête pleine de tous ces récits de voyageurs et de guides entendus à l'auberge. Il en savait déjà plus sur les pays-d'en-haut que tous les enfants de son âge réunis.

À son retour, à la fin du printemps suivant, c'est un homme mûr, déjà sans âge, qui m'avait dit trop froidement: «Bonjour père», avant d'aller s'affairer à de fausses besognes. Le coup de vieux que cela m'a fait! À votre mère pourtant, sa grande confidente, il racontait des heures durant son long périple jusqu'au lac Népigon, sa trappe et ses séjours chez les Indiens de là-bas. Le soir venu, je demandais humblement à Mado de tout me répéter! Elle le faisait avec plaisir. Elle savait mon chagrin.

Montaigne avait écrit: «Nous ne sentons aucune secousse quand la jeunesse meurt en nous, qui est en essence et en vérité une mort plus dure que n'est la mort entière d'une vie languissante, et que n'est la mort de la vieillesse.» Pour une fois, je n'étais pas d'accord avec lui! La secousse, moi, je l'ai ressentie cette fois-là, jusqu'au tréfonds de mon âme!

Quand Hypolite est revenu, ce printemps-là, je fis mon deuil d'un amour raté. Les seuls mots qu'il m'adressa, durant son séjour, furent ceux du départ, les mêmes qu'à l'arrivée: «Bonjour, père»... Adieu mon fils!

La mort de Madeleine va le bouleverser, lui aussi. Mais elle ne changerait rien à nos relations, même si je devais survivre des années à sa mère; il ne me reviendrait pas, je l'ai perdu il y a trop d'années.

Tu lui diras que je l'aime; moi, il m'est impossible de lui faire comprendre. Il y a deux ans, dans une lettre à Madeleine, il racontait qu'il avait fait partie de l'expédition chez les gens de l'Arc, avec le sieur de La Vérendrye et son dernier fils, François, qui rêvent toujours de découvrir cette fameuse mer de l'Ouest. Il a donc contemplé ces gigantesques Alpes du Nouveau Monde, les Rocheuses. Je n'en suis pas peu fier!

Il nous annonçait aussi qu'il avait pris femme là-bas, chez les gens de l'Arc. Il voulait respecter la tradition de ces Indiens et ne jamais se marier devant l'Église. Cela me fit sourire; même si nous sommes si étrangers l'un à l'autre, nous avons quelque goût en commun.

C'est par cette même lettre, rappelle-toi, qu'il nous apprit que nous étions désormais grands-parents, et toi tante! Grand-père à un âge où d'habitude on a des arrière-petits-fils... ou plus rien du tout! Ce petit-fils que je ne verrai jamais s'appelle Sekami. Comment va-t-il? Depuis la reprise de cette maudite guerre, l'hiver dernier, nous n'avons eu nouvelles que de Charles, à Michillimakinac.

J'espère qu'il prospère, Sekami. Et j'espère que sa mère sera aussi patiente et aussi bonne avec lui que Madeleine l'a été avec vous. Je sais qu'elle est aussi séduisante et sensuelle que l'était Migwa. Cela se devine, se lit entre les mots!

VI

Tu te rappelles, Marilou, quand tu étais bébé et que nous t'emmitouflions dans un traîneau-canot, au printemps, durant les grands dégels, pour que tu flottes sans danger par-dessus bancs de neige et boue?... Nos rues, au printemps, n'ont jamais été très belles, c'est le moins qu'on puisse dire. Vont-ils se décider un jour à les paver, nos chemins, plutôt que de gaspiller notre argent à entretenir des fortifications! Comme si elles pouvaient retenir qui que ce soit, ces foutues fortifications! Pftt!

Quand les Anglois viendront, va, ils seront assez nombreux pour grimper plus haut que n'importe lequel de nos petits murets! Et puis, monsieur le roy y tient tellement à sa Nouvelle-France qu'il nous signera sans doute l'ordre de les raser avant leur arrivée, histoire de leur faciliter la tâche. À moins qu'il ne signe un autre petit traité d'abandon! Après Port-Royal et l'Acadie, c'est toute la Nouvelle-France qu'il offrira à l'Angleterre, un de ces bons matins!

Remarque que plusieurs croient que nous ne nous en porterons pas plus mal! Tes frères sont de ceux-là, je le sais! Que veux-tu? Ces fameuses libertés individuelles qu'on prétend le lot de chaque sujet britannique sont bien attirantes. Moi le premier, je suis pour! Et vous de même!

Ni seigneur ni bien nanti ne peuvent plus faire condamner un Britannique aux galères parce qu'ils n'ont pas aimé une de ses mimiques, ou qu'il les a bousculés sur la rue, par accident.

Finie cette arrogance soldatesque qui leur permettait d'écraser tout le monde comme s'ils étaient le roy en personne. Abolie cette étouffante religion qui radote sans cesse: «Ta terre est une vallée de larmes où il nous faut gagner son ciel dans la misère.» Et ces robes noires qui répriment toute manifestation de plaisir et de joie... Eux, disparus? Je n'arrive pas à y croire!

Plusieurs vont se réjouir du pouvoir anglois, je te le dis. Mais quels dangers ils courront... Baste! C'est trop de soucis pour moi, trop d'événements sur lesquels je ne peux avoir d'emprise. Voilà tout le drame de vieillir, ma fille.

Allez, retournons à mes souvenirs, ceux-là du moins sont encore en mon pouvoir. Ce matin, je te disais comment l'ami Thibierge maniait bien l'arc et le couteau, et comme cela nous avait été utile, lors d'une de nos tournées des cabarets.

C'était au tout début de 1712, un soir de pleine lune. Son reflet sur la neige nous éclairait comme en plein jour. Une nuit où l'on sent que tout peut arriver, les choses les plus absurdes, les aventures les plus belles, les accidents les plus sordides. Une nuit de papillon au ventre, une nuit où les femmes se savent sorcières, les hommes loups-garous. Et tout arrive sans doute durant des nuits pareilles!

Nous avions déjà complété notre tournée des bons et des moins bons cabarets de la ville et n'étions plus que trois, Louis, Thibierge et moi. Les autres avaient abandonné, vaincus par une longue et particulièrement orageuse discussion sur l'avenir de la colonie.

Jacques Thibierge venait d'emménager dans une toute nouvelle maison, à l'extrémité sud de la ville, passée la chapelle Bonsecours, au bout de la rue Saint-Martin. Malgré la distance entre le bouge d'où nous sortions et sa demeure, rue Saint-Philippe, nous avions décidé d'aller l'y reconduire.

La lune, je te l'ai dit, brillait fort comme un soleil d'hiver. Je ne trouvais rien de plus agréable que de sentir l'air froid et sec sur mon visage, d'humer l'odeur des bons feux de bois. La neige crissait si raide qu'on en grinçait des dents. Nous prenions garde de ne pas respirer trop vite de peur que l'air glacial nous écorche les poumons.

Nous venions de dépasser l'église Ville-Marie et débouchions sur la place du séminaire quand nous aperçûmes une forme noire devant les grandes portes du temple. La silhouette se releva vivement à notre approche, et s'enfuit, abandonnant derrière elle un tout petit paquet, enveloppé dans une vieille couverture de laine angloise. Louis s'y précipita. Dans la couverture, un lange de «carisé», une couche, un bonnet blanc:

— C'est un enfant... un nouveau-né!

Sans réfléchir, Thibierge et moi partîmes au pas de course à la poursuite du long manteau noir que nous avions vu disparaître par la rue Saint-François, vers le fleuve. La forme s'enfuyait d'un pas rapide, sans courir toutefois, sans doute pour ne pas donner l'alarme à quelque soldat qu'elle croiserait. Elle tourna à droite, sur la rue Saint-Paul, puis à droite encore sur Saint-Pierre.

Nous allions la rejoindre quand elle disparut par la porte de côté d'une méchante maison de bois qui abritait un de ces cabarets fréquentés par les Indiens de la montagne et les coureurs des bois de la région.

La prudence aurait sans doute exigé que nous rapportions l'affaire au guet, mais l'habitude de faire la loi et le désir d'empêcher quelque pauvresse de commettre l'irréparable nous poussèrent à entrer.

La maison ne comprenait qu'une seule pièce, toute enfumée, à cause du mauvais foyer de pierres qui s'y trouvait. Quelques vieilles lampes à l'huile de castor suffisaient à l'éclairage. Tout au fond, deux vieilles armoires dans lesquelles on entassait gobelets et fûts de bière. Aucune bouteille de vin, ni d'eau-de-vie sur les cinq ou six tables basses du cabaret; les tenanciers, tu vois, ne voulaient pas être accusés d'enfreindre la loi qui interdit de servir aux Indiens autre chose que de la bière. Alors, l'eau-de-vie, on la cachait sous la table! Après le froid vif de la nuit, toute cette fumée nous piquait les yeux et nous empêchait de distinguer les visages.

Le cabaret était bondé. L'ivresse faisait chanter les clients si fort que j'enfonçai ma tuque pour bien couvrir mes oreilles. Ce n'est qu'une fois au centre de la pièce que j'aperçus, dans un des angles du cabaret, la femme au long manteau brun foncé que nous avions suivie.

Je la reconnus; c'était Josette D'amour, une de ces malheureuses qui passent d'un homme à l'autre et qui couchent avec tous, d'autant qu'ils leur servent à boire.

Nos regards se croisèrent. J'avançai lentement, les yeux fixés sur elle. Ce fut mon erreur: je l'observais de si près que je ne pensais pas aux buveurs qui l'entouraient.

Avant même que je puisse réagir, l'un d'eux se dressa pour me lancer son tomahawk, une de ces méchantes petites haches si affûtées qu'on peut se raser avec.

Thibierge, lui, avait tout vu. Le temps d'un éclair, son couteau fendit l'air et vint se ficher dans l'épaule du bougre.

J'atteignis d'un bond le malheureux. Thibierge, lui, lançait déjà son deuxième couteau derrière moi, dans la cuisse d'un autre soûlon qui s'apprêtait à m'occire.

Je saisis mon agresseur par le collet, l'assommai d'un coup au menton et le hissai d'une seule main jusqu'au plafond, un vieux truc que j'utilisais toujours avec succès pour impressionner les soûlons! Thibierge était grimpé sur une table, tout au fond, six autres de ses curieux couteaux tenus en éventail, dans sa main droite, un septième dans sa main du diable, prêt à servir.

Il me fit signe de venir; je pris Josette par la main et l'entraînai avec moi, mon pantin d'agresseur toujours assoupi au bout de mon autre bras. Une fois dehors, je le lançai dans le passage entre le cabaret et la maison voisine, le nez dans la neige, et nous nous précipitâmes vers la maison où Louis avait ramené le mouflet, transportant presque Josette qui marmonnait sans arrêt des propos incompréhensibles.

Nous l'installâmes dans notre chambre, à Migwa et à moi, et Marianne, à force de douceur, réussit à la convaincre d'allaiter son enfant, un petit garçon beau comme le jour.

Et la nuit se passa sans autre aventure. Le lendemain, nous allâmes reconduire la jeune mère et son enfant chez les sœurs de la Congrégation.

La malheureuse s'y pendit, une semaine plus tard. Le petit, lui, n'en a jamais rien su. Il a été élevé comme l'un des enfants de ton parrain, Claude Raynaud, à qui le procureur remit 150 livres pour ce service. Comme si cela avait un prix, d'élever un enfant! Le petit a grandi en force et en âge — ne ris pas, je le dis sans moquerie — et il est devenu un beau jeune homme, Louis Raynaud, ci-devant commerçant en l'île Royale, eh oui, Marilou, ton fiancé!

Connaît-il sa propre histoire, le beau Louis? Je ne crois pas. Il faudra bien lui dire un jour... Ce sera à toi d'en décider! Mon agresseur, lui, est mort dans la neige, dans ce méchant petit passage. Ses amis ne sont jamais allés le chercher, le froid l'aura endormi pour de bon. Pourtant deux ou trois m'ont vu faire, par la fenêtre... Peut-être le détestaient-ils?

Va vite remettre du bois dans les poêles, ma petite. Et apporte-moi de cette bonne tisane que ta pauvre mère n'a même plus la force de prendre.

* * *

Tu es venue t'allonger tout contre moi. Et je n'ai eu ni la force ni le goût de t'en empêcher. Ce qui fait, coquine, que je n'ai pas osé bouger de la nuit! J'en ai plein de crampes partout.

Ta respiration était celle d'un lac sombre et calme. Je m'y suis perdu, comme une flamme dans un brasier que mon amour attise jusqu'à ce que ses tisons aient la blancheur et l'éclat du soleil.

Au plus profond de ton sommeil, j'ai posé délicatement ma main sur ta nuque. J'ai voulu que mes dernières énergies se propagent en toi, te fortifient. Autant mes fils sont distants et étrangers, autant je te sens près de mon cœur, chair de ma chair, prolongement de ma vie.

Ma fille adorée. C'était plutôt ton jeune corps qui réchauffait mon écorce ratatinée, qui me transmettait ton énergie, ta vie. Cela était si doux que je m'y attarde encore et que j'ai peine à refaire mon chemin vers ce pays au fond de moi.

J'y ai construit, au fil des ans, mon village idéal, peuplé d'amis de jadis. Je m'approche de mon vieux chêne, je m'y assieds, dos contre son tronc rugueux, bras lancés derrière, mains agrippés à l'écorce, comme si, d'un mouvement de reins, je voulais l'arracher du sol et le transporter sur mon dos.

Je fonds en lui, deviens sève, me répands jusqu'à l'extrémité de ses dernières feuilles. Puis je quitte des nuages crépusculaires et une autre glace blanche, luisante, liquéfiée d'où je surgis, aérien.

Je me retrouve allongé sur une plage de sable blanc immaculé. Une mer turquoise s'étend à perte de vue devant moi. Migwa est là, en moi; elle voit ce paysage à travers ses yeux. Me parle-t-elle? Sans doute, mais pas avec des mots. Les mots ont peu de pouvoir dans le monde du rêve!

Je songe à Hypolite, à Charles. On ne parvient jamais vraiment à donner ce qu'on veut. J'aurais dû me contenter d'être là, simplement, patient, attentif. Je leur donnais tout, sauf cette présence. Je ne me donnais pas!

Le souvenir de Jean-Baptiste Amyot apparaît, dans mon rêve éveillé. Il me parle de tes frères, ses mots effacent toutes mes inquiétudes. Charles forge et répare les armes de toutes les nations alliées des grands lacs dans cette baie d'eaux stagnantes qu'on a nommé baie des Puants. Devant cette belle île de la Tortue que les robes ont rebaptisé Michillimakinac.

Là où vit Hypolite, au bout des prairies, on voit à l'horizon ces immenses montagnes appelées les Rocheuses. Derrière, le grand rêve de La Vérendrye, la mer de l'Ouest, dont tous les Indiens des plaines connaissent l'existence.

Mais qui pourra jamais franchir ces montagnes géantes?

Les gens de l'Arc l'y avaient conduit, les gens de l'Arc garderaient Hypolite. Avec sa dernière lettre, une forte somme d'argent sonnant, fruit de la vente des fourrures négociée à Michillimakinac, avant son départ. La dernière de sept bourses que j'ai placées pour lui, en lieu sûr, à Paris. Quel drôle de fils aîné cela me fait! Il pourrait déjà vivre riche, dans le vieux pays; il préfère le vent des grandes plaines du bout du monde.

Pourquoi m'en faire? Votre vie, mes enfants, m'émerveille et m'effraie à la fois. Dis-leur, à tes frères, que je serai là le jour où ils commenceront leur voyage intérieur, dans ce domaine où je passe de plus en plus de temps et où presque tous mes amis m'espèrent. Est-ce pour cela, finalement, ce refuge au fond de soi? Pour se préparer à la mort?

Et si Migwa en est devenue maîtresse si vite, était-ce parce qu'elle devait mourir avant d'atteindre mon vieil âge? Migwa... Quand je serai mort, elle n'aura plus à répondre à mes appels. Je pourrai à ma guise visiter le pays de ses ancêtres; madame la mort, *la Mounardo,* abolit les races.

* * *

Voilà, Marilou, comment se passa mon premier hiver. Grâce à mes amis, j'avais de nombreux temps libres et je pouvais circuler comme bon me semblait. La plupart des soldats profitaient de leurs congés pour aller au cabaret discuter de tout et de rien, boire, jouer aux cartes, et même se provoquer en duel. Je préférais de beaucoup les longues heures de boulangerie avec Marianne et Migwa.

Le printemps revint avec ses mouches noires et ses inondations de boue. Il y avait tant d'eau, cette année-là, dans nos méchantes rues, qu'on ne voyait plus une seule banquette de bois. Il fallait marcher à tâtons, de la boue glacée en haut de la cheville, sur ces vieilles planches glissantes. Il ne se passait pas trois jours sans que le plus habile d'entre nous ne dérape et ne tombe à son tour de tout son long dans la boue. Nous étions tous aussi sales que nos pourceaux!

La nuit, des malins, des jeunes, s'amusaient à mettre des bouts de bois en travers des portes, de telle façon que, le matin, leurs victimes encore endormies s'enfargent dedans et plongent dans cette soupe de boue remplie de toutes les immondices qu'on y avait jetées durant l'hiver.

Mais rien ne nous empêchait de sortir et de profiter du beau temps revenu pour se saluer et faire un brin de causette avec tous les passants.

Le printemps venu, nous avions pris l'habitude de faire une longue balade, tous quatre, Louis et moi devant, Marianne et Migwa derrière. Nous descendions la rue Saint-François jusqu'à la rue Saint-Paul que nous parcourions de long en large, de la place d'Armes à la chapelle du Bonsecours où nous nous arrêtions un moment. Marianne allait s'agenouiller à l'avant et se recueillait, tout entière à une prière dont nous ignorions les mots mais qui, à coup sûr, parlait de ceux qu'elle aimait. Moi, je ne me lassais pas de regarder les petites miniatures de bateaux fabriquées en mer qu'on suspendait au plafond de cette église. Les religieuses les recevaient de marins qui croyaient avoir été sauvés en mer, par leurs prières à Notre-Dame-du-Bonsecours.

La mer est si puissante, tu vois, qu'elle fait croire en Dieu! Comme Lui, elle a ses calmes plats et ses tempêtes, ses miroirs de soleil et ses ouragans. Elle nous unit ou nous sépare, nous sauve ou nous tue, elle est la vie et la mort entremêlées. Même les nations du fond des terres connaissent son existence.

Les églises de Bordeaux et de La Rochelle en étaient pleines de ces témoignages à Sa puissance. Dans notre petite chapelle, il y en avait à peine une vingtaine. Je rêvais d'en avoir un à la maison ou même de trouver le temps de m'en faire un... Tu sais comme j'aime les jouets. Tu te rappelles la petite ferme que je vous avais faite pour Noël, à toi et à ton pauvre petit frère disparu? Il y avait la maison pièces sur pièces, la grange, des clôtures, quatre vaches, un cheval, un pourceau, des poules. J'avais passé tous les soirs de l'hiver précédent à les sculpter, ces animaux-là, pendant votre sommeil, dans du bois blanc... Eh! c'était autant pour mon plaisir que pour le vôtre!

En quittant la chapelle, nous jetions un coup d'œil aux fenêtres carrelées de la maison voisine, celle du sieur de Longueuil. Nous remontions ensuite tout droit jusqu'à la rue Notre-Dame et de là jusqu'à la rue Saint-François, en passant devant la belle maison de monsieur de Ramesay et ses jardins grillagés, l'église des Jésuites, puis l'église Ville-Marie et, enfin, la cour du séminaire, là où nous avions trouvé Louis Raynaud, ton beau promis.

Tout au long de la promenade, nous ne cessions de saluer nos Montréalistes, assis au pas de leur porte. Nous croisions d'autres badauds, la plupart des couples de jeunes gens qui se promenaient bras dessus, bras dessous.

Cela faisait seulement un an que j'habitais Ville-Marie et je m'y sentais chez moi. À la fin du mois d'août, le 31 précisément, comme pour prouver mon nouvel attachement à cette terre, j'acceptai de devenir parrain du petit Nicolas Jérôme, premier rejeton de mon compagnon de régiment François Latour et d'Angélique Dardens.

Cet hiver-là, j'étais chargé de la tournée des pauvres cahutes que les mendiants s'étaient fabriquées, le long des murailles, à l'extérieur de la ville, avec toutes sortes de matériaux de fortune.

On nous avait fait les mises en garde les plus sévères, à Jacques Thibierge et à moi, sur les dangers que nous courrions à patrouiller ces pauvres lieux. On avait tort. Sauf pour quelques brigands notoires, nous y voyions plus de misère que de méchanceté. Ivrognes, femmes jadis légères, voleurs sans foi ni loi, grands estropiés de la tête, réduits à l'état de bêtes de somme, s'y entassaient pêle-mêle, y mangeaient, y dormaient, y souffraient, y mouraient.

Bon, leur sens de la propriété privée ne correspondait pas toujours à celui de monsieur de Maurepas, mais il fallait bien qu'ils vivent d'une façon ou d'une autre, ces gens-là!

Les nouveaux bourgeois qui s'en offusquaient avaient oublié leur propre misère, dans le vieux pays, quand les seigneurs du roy rasaient leur maison et les réduisaient à la misère avec leur dizaine de taxes et d'impôts toujours plus élevés.

Que veux-tu! La nature humaine est ainsi faite; l'homme n'a aucune mémoire, sauf celle de ses rancunes... Ces gens ont honte. La simple vue d'un miséreux qui a succombé les rend impitoyables, comme si c'était contagieux!

L'hiver 1712-1713 passa sans que nous rediscutions une seule fois de notre grand projet pour freiner, à notre façon, les progrès que les Anglois faisaient auprès de nos Indiens, là-bas, dans les pays-d'en-haut. Leurs marchandises étaient si supérieures à nos pacotilles que même les habitants de Ville-Marie s'en procuraient, à fort prix, pour leur propre usage. Encore aujourd'hui, trouve-moi une seule maison qui n'a pas, malgré l'interdiction du roy, d'aussi bonnes couvertures de laine angloises que celle-ci? Ce serait folie de s'en passer!

Et ce serait folie pour les Indiens de refuser des cadeaux si supérieurs aux nôtres, sous prétexte qu'ils proviennent de nos ennemis anglois. Il n'y a que les nobles du roy pour penser comme cela; ces gens-là sont trop habitués à se faire obéir dans le vieux pays, à force de représailles. Ils s'illusionnent en pensant que nous pouvons, sans soldats et sans argent, faire de même avec toutes les peuplades guerrières d'ici.

Ah! la vie est pleine d'inquiétudes pour les vieillards. C'est signe qu'elle n'est plus pour nous! Toi, tu t'adapteras. Rien n'est jamais si terrible quand on est jeune.

VII

Je ne sais pas si cela lui venait de toujours jouer avec les chevelures des jeunes filles pour en faire ses perruques mais, à soixante ans passés, ton grand-oncle Louis Labrie gardait toute la fougue de sa jeunesse.

Par deux fois, à l'été et à l'automne de 1712, il était retourné chez mes futurs beaux-parents Lacerte, aux Trois-Rivières, pour les convaincre de venir s'installer à Ville-Marie; par deux fois, il rapporta de ces voyages, fruit du labeur de notre maître faussaire, de la monnaie de cartes de mieux en mieux réussie, et leur refus d'obtempérer aux désirs de Jacques Leber.

Ce n'est que plusieurs mois plus tard, à l'arrivée des Lacerte à Ville-Marie, que je sus le danger que Louis avait couru durant ces voyages. La guerre, tu vois, dans les pays-d'en-haut, attisait la colère des simples d'ici. Plusieurs d'entre eux voyaient désormais, dans chaque Indien, un ennemi sanguinaire. À

Ville-Marie, les habitants côtoyaient sans trop de problèmes les Indiens des alentours; ils étaient si nombreux qu'on en avait l'habitude! Mais, dans nos villages de colons, où même un Montréaliste était considéré comme un étranger, peu de paysans échappaient à cette haine meurtrière, aux Trois-Rivières comme ailleurs.

Les liens entre la famille de Madeleine et celle des Rouensa avaient toujours été très étroits. Il ne se passait pas une journée sans que les deux frères de Catherine Rouensa ne viennent aider ton grand-père et ses fils, l'aîné, ton oncle Jean-Charles et son cadet Guillaume, dans leurs travaux de la ferme.

Grâce au labeur de ces quatre jeunes gaillards, et, il faut bien le dire, avec l'argent gagné en faux-monnayage, la ferme était vite devenue la plus importante de la région. Monsieur Guillaume avait même acheté les deux lots adjacents au sien et en convoitait un troisième. Cela faisait des envieux!

Louis avait renoncé à l'énorme barque de Jacques Leber, trop voyante à son goût. Il ne voyageait plus qu'en canot, avec ses frères de sang, Pierre et Jean Sioui.

Quand il séjournait chez les Lacerte, Pierre et Jean étaient, de leur côté, accueillis à bras ouverts chez les Rouensa. Catherine et la vieille Kiagonan, sa mère, leur préparaient un festin qui pouvait durer toute la nuit. Ils échangeaient des nouvelles de toutes les tribus, d'une lune à l'autre et du bas du fleuve aux confins des prairies.

Sans écrit, ni poste royale, tu vois, grâce à ces palabres faites de campement en campement allié, nos Indiens étaient mieux informés qu'aucun de nos majors de troupe.

Cette année-là, il y avait tant de travail à la ferme que les Rouensa avaient emporté leurs pénates à la ferme des Lacerte, si bien que tous se retrouvèrent ensemble dès le premier soir. On fit le feu des palabres en plein milieu de la cour. Nos deux braves y parlèrent toute la nuit avec les fils Rouensa, Louis et le vieux Lacerte.

Nous sommes moins efficaces que les Indiens pour les nouvelles qui viennent de loin mais, à portée de canons, crois-moi, tout se sait à la rapidité de l'éclair dans nos villages.

C'est un dénommé Dargis qui mena le bal. Ce gars-là gagnait sa vie comme manœuvre, dans les fermes des environs. Il avait été chassé de la ferme des Lacerte pour avoir trop poursuivi les filles de la famille, au goût de madame Lacerte.

Alors, pour se venger, ce sacripant s'est mis à raconter des choses comme: «Ils sont déjà quatorze guerriers chez lui... Je te dis, le vieux fou veut se servir d'eux pour nous faire peur, nous voler nos terres...» À cause de la guerre, à cause de l'inquiétude des parents pour leurs fils voyageurs, combattant quelque part dans les pays-d'en-haut, les oreilles crédules ne manquèrent pas pour gober ces sornettes. Plusieurs crurent vraiment que ton grand-père était devenu fou et qu'il avait invité tous les Indiens des alentours à prendre possession de sa ferme et des territoires environnants.

Le lendemain, quand Louis pénétra seul dans la bourgade, neuf gaillards en colère lui sautèrent dessus en l'injuriant et en le bousculant. Tout autre que notre perruquier ne s'en serait pas sorti sans moult coups et blessures. Mais lui? Il éclata de rire de si franche façon qu'il en désarçonna ses attaquants, juste assez pour que ceux-ci, intrigués, veuillent l'entendre sur cette présumée conspiration.

Cinq minutes plus tard, les quatorze dangereux guerriers iroquois s'étaient dissipés avec la brume du matin. Deux ou trois de ces gaillards se moquaient même de Dargis.

— Hé! les filles Lacerte sont trop belles pour toi, Lardon. Le mieux qu'il puisse t'arriver, c'est qu'elles te mettent en pâture, avec leurs cochons!

Louis, lui, s'abstint de rire ou de se moquer de Dargis. Il se rappelait l'avertissement de Montaigne: un ennemi à terre, c'est un serpent! Mieux vaut ne pas le piétiner.

Il ne parla à personne de l'incident, sauf à monsieur Lacerte.

— Je ne veux pas vous presser, mais des réactions comme celles-là m'inquiètent, qu'il lui dit. Il suffirait d'un rien pour que la populace se mette à croire aux histoires des Dargis de ce monde et vous crée des ennuis plus sérieux.

— Qu'ils viennent, ces gredins! Je les attends de pied ferme!

Il n'était pas commode, tu sais, ton grand-père. Il avait son code d'honneur à lui. Aux autres de s'y conformer! Ton frère Hypolite est son portrait tout craché, tiens! Plus on insiste, plus il s'obstine!

Mais Louis était plus habile que je ne l'ai été avec mon fils aîné. Il choisit de ne pas insister, du moins pour le moment. Guillaume Lacerte ferait à sa volonté; il habiterait là jusqu'à ce que son aîné ait atteint vingt et un ans. Alors seulement accepterait-il de venir habiter Montréal avec ses enfants et de travailler à notre projet. C'est du moins ce qu'il affirmait à l'époque!

Je te l'ai dit, les liens que sa famille entretenait avec la veuve Rouensa et ses enfants étaient plus forts que le sang. Louis me raconta un jour pourquoi: Samuel Rouensa, chef de la petite tribu des Agniers, maintenant émigrée vers la Nouvelle-Angleterre, avait sauvé la vie à ton grand-père.

Guillaume se trouvait seul aux champs quand des guerriers vagabonds l'attaquèrent sans autre raison apparente que de l'alléger de sa chevelure. Ils étaient trois, le guerrier Rouensa en abattit deux de ses flèches. Le troisième, ton grand-père s'en chargea lui-même. Il mourut de son propre couteau, la main crispée sur la perruque de monsieur Lacerte qui, même en cet instant tragique, tint à la remettre sur-le-champ pour protéger son crâne dénudé.

Ce fut le début d'une solide mais trop brève amitié. Le chef Samuel périt, quatre ans plus tard, d'un mal aussi mystérieux que rapide. Monsieur Lacerte prit sa famille sous sa protection et l'installa sur ses terres. Si la veuve Rouensa l'avait voulu, ils auraient même habité la maison, mais elle tint à élever ses enfants à l'indienne, dans les bois. Toute Indienne qu'elle fût, elle avait une vraie tête dure de Breton.

Il n'y eut pas d'autre incident du genre cette année-là, ni la suivante, et cela sembla donner raison au vieux Lacerte. Libéré des travaux de la ferme, il consacrait de plus en plus d'heures à sa fausse monnaie et aussi à perfectionner les dessins d'un nouveau tarot inspiré d'un jeu du maître cartier parisien Jacques Viéville. Le jeu de Viéville avait été imprimé soixante ans plus tôt, l'année même de la naissance du sieur Guillaume qui y voyait un signe du destin: à lui maintenant de créer le tarot du Nouveau Monde!

De retour de ses voyages chez notre maître-faussaire, Louis nous racontait son périple, s'adressant directement à Marianne, sa femme, comme pour ne pas me rappeler, tout épris de Migwa que j'étais, la grande impression que m'avait faite une jeune femme blonde de là-bas, appelée Madeleine. D'elle, il ne nous donnait aucune nouvelle; et j'étais mal placé pour en demander. Je l'imaginais mariée à quelque paysan du coin; sa cadette Marguerite n'avait-elle pas épousé un colon de Lavaltrie trois ans plus tôt? Les femmes étaient si rares, en Nouvelle-France, qu'on les mariait fort tôt, à quinze ou seize ans, parfois même à quatorze! Et Madeleine avait passé cet âge-là depuis belle lurette.

Je revis toutefois Catherine Rouensa, avec sa mère et ses deux frères à la grande foire du marché. Tu n'as pas connu ça, toi, cette belle foire! Elle se tenait tous les étés, sur le pré de la Commune, entre le fleuve et la rue Saint-Paul.

Les Montréalistes de longue date riaient de mon ravissement à une telle fête. Ils s'empressaient de me dire: «Ce n'est rien, compère. Il y a dix ans, les Sauvages venaient vingt fois plus nombreux! Maintenant qu'il y a des postes de traite partout, dans les pays-d'en-haut, ils ne prennent plus la peine de descendre. Vous verrez, dans quelques années, la foire n'existera plus.»

Le temps leur donna raison. Mais moi qui n'avais connu mieux, je fus très impressionné cet été-là de voir arriver Hurons et Outaouais par dizaines, dans leurs grands canots d'écorce chargés à ras le bord de fourrures de toutes sortes. J'en comptai soixante-sept, tous plus chargés les uns que les autres.

Cela leur prit toute une journée pour les décharger, dresser leurs tentes et y étaler leur marchandise. Migwa et moi, nous étions fascinés de les voir s'installer. Chacun de leurs gestes était pour moi énigme; leur façon même de marcher, comme s'ils glissaient sur le sol, m'étonnait. Les Indiens de la mission, me disais-je, ne marchaient pas comme cela dans les rues de Ville-Marie. S'efforçaient-ils de copier les Blancs?

Le soir venu, chaque nation fit un grand feu devant son campement. On nous invita à venir nous asseoir à celui des Agniers et à fumer leur calumet de paix. Ma haute stature les impressionnait et plus d'une Indienne vint vérifier, avec ses mains, si la carrure de mes épaules et la couleur de mes cheveux étaient véritables. J'étais décontenancé, Migwa, elle, riait aux éclats!

La fumée des calumets de paix, la magie du feu, leurs douces mélopées m'enchantèrent. Je passais mon temps à sourire, la bouche fendue jusqu'aux oreilles, ridicule, mais toutes et tous me souriaient de même.

Cela me prit un bon deux heures avant de reconnaître Catherine Rouensa et sa famille. Je convainquis sans peine Migwa d'aller les rejoindre. Je m'adressai directement à Catherine.

— Comment savez-vous qui je suis?

Je rougis. Je ne pouvais quand même pas lui avouer que je l'avais surprise nue, au soleil, avec sa meilleure amie.

— J'ai vu votre portrait dans le salon des Lacerte... Très ressemblant.

— Merci. M. Lacerte est un grand artiste vous savez.

— Je sais, mon ami Louis m'a beaucoup parlé de lui... Et aussi du grand talent de votre mère à fabriquer des vêtements d'apparat.

Les Rouensa étaient en effet vêtus plus somptueusement que tout autre Indien de ce grand village improvisé. Ils furent ravis de découvrir qui nous étions.

Eux ne venaient pas pour la fourrure! Monsieur Lacerte les avait plutôt chargés d'une mission de la plus haute importance: celle d'acheter du blé, en plus grande quantité possible. Du blé de l'année précédente. Nous avions eu une bonne récolte à Ville-Marie mais, aux Trois-Rivières, la sécheresse et les grêlons avaient tout détruit. C'était encore pire à Québec où les affamés s'attroupaient pour réclamer du pain et des semences aux dirigeants de la Nouvelle-France. Plusieurs villages des alentours avaient même marché sur Québec pour protester contre la cherté de la nourriture. Une émeute, rien de moins!

Tu te rends compte, Marilou? Je te parle d'événements d'il y a trente-trois ans passés. La durée d'une vie d'Indien, comme disait Jacques Leber. Celle d'un affamé, auraient renchéri les habitants des Trois-Rivières, de Québec et du bas du fleuve. L'intendant Bégon avait beau fixer le prix du blé, forcer les bourgeois égoïstes à se débarrasser de leur surplus de céréales, et même réquisitionner un cinquième de la récolte pour la redistribuer aux nécessiteux, partout, les gens souffraient de la faim.

Les Rouensa savaient Louis en voyage avec Leber à Québec et aux Trois-Rivières; ils n'avaient donc pas tenté de prendre contact avec lui. Nous passâmes le reste de la nuit ensemble, à deviser de tout et de rien... Je revois Migwa, vers le matin, la tête appuyée sur l'épaule de madame Kiagonan Rouensa qui lui chuchotait à l'oreille.

Le lendemain, pendant que les chefs des nations demandaient audience au gouverneur général, nous entraînions nos visiteurs à la maison des Labrie rencontrer Marianne et discuter avec elle des prix en cours. Elle s'offrit, avec sa bonté habituelle, à négocier pour eux avec les marchands montréalais et convint d'un rendez-vous dès le lendemain matin.

Nous fûmes de retour au pré communal juste à temps pour la cérémonie de rencontre entre le gouverneur et les nations.

Les guerriers formaient un grand cercle par nation; tous avaient aux lèvres une pipe bourrée de chanvre indien. À tour de rôle, le porte-parole de chaque nation se levait et prononçait une longue harangue au gouverneur général.

Chaque orateur expliquait, dans sa langue, le but de son voyage et ce que ses guerriers espéraient retirer du troc de leurs peaux, soit des fusils, de la poudre, des balles, pour chasser, bien sûr, mais aussi pour tourmenter les tribus ennemies des François. À la fin de son discours, ce guerrier, choisi pour son éloquence, jetait un collier de porcelaine avec une quantité de peaux de castors aux pieds du gouverneur à qui il demandait la protection contre le vol et les traitements injustes. Puis, le harangueur s'asseyait et le gouverneur, à son tour, remerciait cette nation d'être venue de si loin et leur donnait quelques bricoles sans grande valeur.

Toutes les nations se présentèrent ainsi, et monsieur de Vaudreuil les remercia toutes. Puis le gouverneur rentra chez lui et les Indiens se mirent à déballer les trésors de leur trappe. Plus de peaux que j'en ai jamais vu: des peaux de castor, bien sûr, des centaines et des centaines, mais aussi de renard roux et de renard argenté, de rat musqué, de loutre, de loup, de martre, de caribou, d'ours, de chevreuil, d'orignal et de wapiti.

Les marchands qui voulaient faire affaire avec eux avaient érigé, tout au long de la rue Saint-Paul, face au fleuve, de petites cabanes où s'alignaient haches, couteaux, outils de fer, couvertures écarlates blanches, rouges ou bleues bordées de bandes noires, longs fusils, récipients de métal blanc et d'étain et toutes sortes de breloques d'argent qu'affectionnent les Indiens.

Il y avait une longue filée devant chaque cabane, une patience, disait Migwa. Nous nous tenions un peu à l'écart, devant la tente des Rouensa. La vieille dame et Migwa continuaient leur conversation mystérieuse, moi je faisais la causette à Catherine et à ses frères. Ils m'enseignèrent comment distinguer le castor d'été du castor d'hiver, et comment reconnaître les plus belles peaux de castor gras d'hiver, tu sais, celui que les Indiens portent sur eux pendant deux, trois ans, et qu'ils engraissent de leur sueur jusqu'à ce que le poil trop long tombe pour ne laisser que le duvet. Nous nous mîmes à rire tous ensemble quand je leur rappelai que nos curés avaient décrété que le castor était un poisson et que nous pouvions donc en manger le vendredi! Un poisson, avec des poils et des mamelles, tu parles!

Je peux bien te le dire, petite, Catherine était si belle que je ne me lassais pas de la regarder. J'avais beau m'intéresser à la conversation de ses frères, inlassablement mon regard revenait vers elle. Elle me souriait, et je me sentais le plus heureux des hommes.

Migwa s'était rendu compte de mon envoûtement. Elle m'en parla ce soir-là, dans notre lit, la tête au creux de mon épaule:

— Tu devrais faire l'amour avec elle. Vous en avez le goût tous les deux.

— Mais Migwa, c'est toi que j'aime... Cela ne se fait pas!

— Ça ne se fait pas chez les Blancs, mais avec moi oui! Tu as envie d'elle, avoue.

J'avouai. Le lendemain, après avoir laissé nos deux guerriers Rouensa avec Marianne Labrie, madame Rouensa me proposa de faire visiter la ville à Catherine, pendant qu'elle tiendrait compagnie à Migwa. J'aurais été bête de refuser.

Nous partîmes aussitôt. Je lui montrai la chapelle Bonsecours, puis le fort Caslière, à l'extrémité est de la ville. Nous empruntâmes ensuite la rue Notre-Dame. Devant la maison des Jésuites, elle me prit la main. Devant la rue Saint-Vincent, elle me dit:

— Il y a, dans les Trois-Rivières, une jeune femme amoureuse de vous. Elle m'a demandé de vous donner ceci.

Elle m'embrassa alors *à pleno boucho*.

Devant la rue Saint-Gabriel, quand elle aperçut des arbres, à droite, tout au bout, elle me demanda si c'était le début de la forêt. Je lui fis signe que oui.

Nous franchîmes la petite rivière, puis nous nous enfonçâmes dans les bois jusqu'à un petit pré discret que je connaissais. Tu te doutes que ce n'était pas pour cueillir des chanterelles. Imagine-toi une belle petite clairière avec un ruisseau qui la traverse, un cercle de fée. Catherine, sans hésiter, courut jusqu'au milieu puis s'y laissa choir en riant. Je me laissai tomber auprès d'elle. Et nous nous amusâmes à lutter l'un contre l'autre comme des enfants, jusqu'à ce que ses lèvres rencontrent les miennes, que sa langue les entrouvre. Alors, je la déshabillai lentement, comme on déballe un trésor fragile et j'embrassai longuement chaque partie de son corps dévoilée... Elle ondulait sous mes caresses comme au rythme du vent et nos baisers rythmaient le chant des oiseaux... Nous fîmes l'amour ainsi tout l'après-midi.

L'herbe était haute et douce. Les arbres, tout autour, créaient la plus belle des palissades. L'ombre de leurs plus hauts rameaux venait parfois jouer sur nos peaux avec une brise douce comme tes joues. Nous parlions des Lacerte et de la vie aux Trois-Rivières, de la guerre et de l'amour. Catherine avait sur chaque chose des idées qui me ravissaient par leur fraîcheur et leur authenticité. Je t'avoue que pas une de mes pensées n'alla vers Migwa avant que nous nous rendions à l'idée de revenir à Ville-Marie, à la tombée du jour.

— Crois-tu m'aimer, maintenant, me demanda Catherine.

— Oui, je le crois.

— Tu aimerais Madeleine plus encore. Et tu aimes toujours Migwa.

Avait-elle raison? Je sentais que nous n'avions plus les mêmes ardeurs, Migwa et moi, et puis je pensais trahir Catherine même en songeant à sa grande amie, Madeleine, ta mère, pour qui j'avais ressenti un tel attrait aux Trois-Rivières.

Catherine se mit à rire de mon désarroi.

— Ce n'est pas bien.

— Qu'est-ce qui n'est pas bien? De me moquer de toi?

— Non, d'être comme je suis. J'ai trahi Migwa, je ne sais plus ce que je pense!

Nous arrivions déjà à la croisée de Saint-Gabriel et Notre-Dame. Catherine s'arrêta, me regarda franc dans les yeux et me dit, du ton d'un archange, le jour du jugement dernier:

— Tu n'as trahi personne. Ce sont les robes noires qui t'ont enseigné des bêtises comme ça, quand tu étais tout petit et que tu ne savais pas mieux. Ils vous convainquent de n'aimer qu'une personne à la fois et de vous y attacher pour la vie pour mieux vous contrôler! Et pour mieux nous contrôler nous, les femmes! Ces gens-là ne cherchent que le pouvoir! Ils ont peur de notre ascendant sur vous. Ils traitent toutes les femmes de créatures du diable et font du plaisir un péché!

Catherine vibrait de tant d'intensité et de sincérité que j'éclatai de rire à mon tour! Personne, jamais, ne m'avait parlé comme cela. Pas même mon ami Louis.

— Nous ne sommes pas faits pour aimer une seule personne, Nicolas. Nos cœurs sont trop grands. Si tu ne le donnes pas, cet amour pour les autres, que vas-tu en faire? Le transformer en haine?

Pour Catherine, tu vois, aimer venait tout naturellement. Pourquoi donc aurait-elle refusé un sentiment si intense de plaisirs et de joies? Plus tu aimeras, me disait-elle, plus tu pourras aimer.

Nous marchions maintenant sur les larges banquettes de bois de la rue Notre-Dame. Le temps sec les rendait enfin praticables, mais il permettait aussi aux équipages d'aller plus vite encore et de soulever des nuages de poussières qui nous pénétraient jusqu'aux poumons.

J'étais triste et exalté à la fois. Triste, parce que je voyais comme un homme peut être bête quand il s'imagine que sa vérité est la seule vraie vérité. Et exalté, parce que je me rendais compte que nous en savons si peu, de l'univers des autres! Quand on s'ouvre aux autres, Marilou, on n'en finit plus de changer.

Montaigne aurait été plus à l'aise que moi dans tout ça! «C'est une absolue perfection, et comme divine, de savoir jouir loyalement de son être.» Voilà ce qu'il nous livrait dans ses écrits.

Si cela t'arrive un jour, ma fille, d'aimer plus d'un homme à la fois, n'oublie jamais ceci: chaque amour est une flamme qui provient du même brasier. Si tu en éteins un au détriment d'un autre, c'est le feu de ta vie que tu affaiblis.

Nous retrouvâmes Migwa et la vieille Kiagonan. Elles conversaient encore comme si elles étaient seules au monde et qu'elles veillaient un grand mystère; on aurait dit un murmure de grillon. Parfois, leurs regards se tournaient vers nous; elles nous souriaient puis retournaient à leur long conciliabule dont je ne sus jamais rien.

Ce soir-là, nous fîmes un banquet qui dura tard dans la nuit. Nous fumâmes de ce tabac indien qui libère les rires. Migwa retrouvée, épanouie, heureuse, Catherine collée à moi, chaleureuse, je me sentais libéré de mes remords. J'étais heureux et repu comme un coq de basse-cour.

Le lendemain midi, quand je voulus retourner au campement, Migwa me retint:

— Les Rouensa sont partis cette nuit, juste avant l'aube. Tiens, elles m'ont donné ceci pour toi.

Elle me tendit une curieuse petite baguette, longue comme la paume de la main, et dont les extrémités se terminaient par deux pierres facettées, transparentes comme l'eau, dures comme le métal. Elles tenaient à la baguette comme *pèr magio,* serties dans ses extrémités. Des languettes de cuir et de minuscules perles indiennes mélangées, enroulées

119

tout à l'entour, formaient le dessin d'une curieuse tortue bleue, verte et jaune.

— Qu'est-ce que c'est?

Elle prit la baguette par une de ses extrémités de cristal et promena l'autre au-dessus de la paume de ma main gauche. Un souffle de vent frais me chatouillait la peau.

— C'est un jeu?

— Si tu veux. Les Agniers la trouvent dans les grandes montagnes. Ils disent que c'est de l'eau figée. Madame Rouensa, elle, affirme qu'elle attise la vie en nous, comme le feu attise le bois. Elle s'en sert pour guérir les douleurs et pour chasser les mauvais esprits. Mais toi, l'amoureux, tu peux te contenter de penser que c'est le souffle de la belle Catherine dans ton cou, ou ailleurs!

VIII

Pauvre Madeleine. Ça ne va pas mieux, hein! Tu lui as mis ses compresses? Et ses pierres chauffantes? Elle a bu sa tisane? Un peu?... Bon. On ne peut rien faire de plus. Patience.

Pas le choix. Attendre la fin. Attendre en se rappelant vivre une nouvelle fois, dans nos souvenirs. Cela nous prépare au dernier passage, c'est une chance, tu vois. Ne pleure pas... Viens. Tout doux.

Je sais que c'est difficile de l'imaginer heureuse, à la voir ainsi, fiévreuse, inconsciente, mais ce n'est qu'apparence.

En dedans, crois-moi, elle se réjouit, elle aussi. Elle a hâte de retrouver Catherine, notre grande amie, ses parents, ses enfants et tous nos autres amis.

Viens, étends-toi contre moi. C'est cela. Maintenant, ferme les yeux.

Imagine-toi une brise douce, un vent de printemps qui naît au sommet de ta tête et te souffle dans tout le corps, jusqu'au bout des orteils. Un bon vent chaud qui te fait du bien. Tu descends dans ton corps lentement, avec lui. Plus il souffle, plus il repose et endort ton visage, ton cou, tes épaules, tes bras, tes mains, le bout de tes doigts par où il s'évade également... puis ta poitrine, ton ventre, tes jambes, tes pieds et le bout de tes pieds.

Remonte lentement, tout au long de ton corps, reviens dans ta tête, au sommet de ta tête, regarde d'où vient ce vent. Tu vois, il naît d'une petite boule dorée, brillante comme le soleil. Entre en elle. Voilà, nous sommes ensemble. Laisse ton corps là, viens, je vais te montrer notre nouvelle maison, Madeleine nous y attend.

* * *

La vie montréaliste nous reprit, avec ses jours de semaine, ses fêtes et ses obligations religieuses toujours aussi étouffantes.

À la maison, nous mangions presque tous les jours de la bonne viande fraîche que Migwa se procurait chez les Indiens de la montagne. Lièvres, chevreuils, perdrix, porcs-épics, le gibier ne manquait pas.

La plupart de nos voisins, eux, se conformaient à l'autorité de l'Église: pas de viande les vendredis, samedis et dimanches, et durant les Rogations, et durant les vigiles des Fêtes, et durant le Carême. Si on avait écouté les curés, on n'en aurait mangé que six mois par année. De quoi te faire détester le poisson, et même le castor, jusqu'à la fin de tes jours, comme je déteste encore tous les curés et leurs rosaires d'hypocrisies.

Un jour, Louis m'annonça que Jacques Leber de Senneville avait ramené son projet à des proportions plus réalistes. Il avouait désormais qu'à lui seul il ne réussirait pas à bouleverser toute l'économie de la colonie angloise, même s'il découvrait et engageait dix autres Guillaume Lacerte. Après tout, le nombre de marchands anglois, d'habitants et de coureurs des bois illégaux prêts à accepter la monnaie de cartes n'était pas si grand; je voyais là un effet des longues conversations que Leber entretenait avec le chef de ses coureurs des bois, Jean-Baptiste Amyot.

Ce dernier connaissait la région des grands lacs, celle du lac Champlain et de ses forts Saint-Frédéric, Carillon, Sainte-Anne, comme le diable ses jésuites. Amyot parlait couramment le dialecte des Algonquins, des Sioux, des Outaouais, des Outagamis et des Mascoutens des grands lacs, celui des Agniers, des Iroquois et des Tuscaroras du New Hampshire et de New York. Pour tout te dire en un mot, il parlait même anglois.

Or, chaque fois que nous discutions des problèmes de développement de la colonie, Jean-Baptiste nous servait l'exemple des colonies angloises qui, à ses yeux, réussissaient tout parfaitement. Nous nous plaignions de l'âpreté de la justice du roy sur les pauvres de la colonie? Jean-Baptiste nous affirmait aussitôt que la justice angloise, elle, était un modèle d'équité.

Tiens, cette année-là, le roy fit publier une amnistie aux coureurs des bois qui accepteraient de revenir sur leurs terres. Pour une fois, tout le monde l'approuvait dans la colonie, les vieux particulièrement. Surtout ceux qui demeuraient sans nouvelles de leurs aventuriers de fils depuis des années. Tout le monde, sauf Jean-Baptiste. Pour lui, insistat-il, c'était une nouvelle preuve flagrante que le roy traitait ses sujets en esclave! Je m'en rappelle, parce que, cette fois-là, Jacques Leber faillit se fâcher pour de bon.

Louis, Jacques Thibierge, François Leblanc et moi avions répondu à l'invitation de Leber; Louis nous avait annoncé que monsieur de Senneville venait de recevoir, directement de France, un exemplaire, dédicacé s'il vous plaît, des *Mœurs des Sauvages américains comparées aux mœurs des premiers temps* du bon père Lafitau, retourné depuis peu au vieux pays. Nous étions tous curieux d'en découvrir le contenu.

Je n'avais pas encore mis les pieds dans la demeure montréalaise de notre grand marchand. C'était magnifique! Imagine-toi une longue maison de pierre, de deux étages, avec trois cheminées. La salle commune devait faire trois toises sur cinq, sans aucun pilier au milieu pour soutenir l'étage, tant les poutres étaient solides. Et un beau plancher de bois franc, des tapis, des tentures aux fenêtres. Les chaises paillées, les fauteuils, les coffres, l'énorme secrétaire, les deux buffets hauts à deux corps, la longue table, tous plus ornementés les uns que les autres, avaient été fabriqués en merisier et en noyer tendre, pour le plus bel effet. Nous étions tous attablés autour du célèbre ouvrage du père Lafitau quand Louis, devant l'illustration du ginseng, cette plante dont la disparition probable avait tant inquiété le petit père Lafitau, demanda:

— Et alors, a-t-on réussi à en contrôler la cueillette?

— Contrôler? lui rétorqua Jacques Leber, tu parles... Contrôler! Personne ne contrôle rien dans ce foutu pays! Regarde-moi ces coureurs des bois. Même l'amnistie du roy ne les ramène pas à la colonie.

Nous étions déjà tard dans l'automne et Jean-Baptiste Amyot avait fait, dans l'après-midi, le bilan des comptes du commerce de son seigneur. Trois des vingt-sept équipages financés par Leber étaient disparus, corps et bien, entre les grands lacs et le lac Népigon; cela n'arrangeait pas les profits! De plus, les contrôles des dirigeants de la colonie étaient de plus en plus sévères et, selon Leber, il était le seul à payer pour! Notre seigneur adorait rire de tout et de rien mais, quand il était question de ses intérêts, alors là, attention! il perdait son sens de l'humour.

Les coureurs des bois illégaux, nous disait-il, pouvaient, en toute impudence, revenir en cachette de temps en temps dans la colonie vendre le produit de leur traite mais lui, marchand établi, il devait équiper au prix fort chacun de ses canots, payer ses hommes d'équipage, payer son droit d'aller traiter avec les Indiens, prendre seul le risque de tout perdre en cas d'échec, et verser des droits et redevances de plus en plus élevés sur chaque peau vendue à l'intendant.

C'est te dire comme ils les aimaient, ces coureurs des bois illégaux. Dans sa colère, il soupçonnait jusqu'aux hommes de l'intendant lui-même de leur acheter des peaux, en cachette, au plus bas prix.

— Ils ont un peu raison, de rétorquer Jean-Baptiste Amyot, qui avait son franc parler.

— Pardon?

— Mais oui, Jacques, ils ont raison. Pourquoi reviendraient-ils? Ils sont bien là où ils sont. Pas de gouverneur ni de soutanes pour leur dire comment mener leur vie, pas de maréchaussée, ni d'officiers du roy, pas de mégères non plus pour les mener par le bout du nez.

Le ton se mit à monter. Notre seigneur accusait son voyageur d'encourager la désertion des colons vers les Indiens et les Anglois; Jean-Baptiste, de son côté, insistait sur la nécessité de leur permettre plus de liberté, une liberté d'entreprendre comme celle qu'avaient obtenue justement les marchands anglois.

— Imagine, disait-il, que le roy nous laisse parfaitement libres d'aller où et quand bon nous semble!

— Ce serait la ruine!

— Non, je ne crois pas. Si le roy suivait l'exemple de son cousin d'Angleterre et nous considérait tous et chacun comme des citoyens à part entière, il s'assurerait notre loyauté à tout jamais. Au lieu de ça, il veut nous contrôler comme si nous étions ses esclaves. N'importe quel guerrier est mieux considéré par sa tribu que nous le sommes ici, n'importe quel Anglois...

Là, Jacques Leber vit rouge!

— Toi, lui dit-il entre les dents, tu serais prêt à renoncer à ton pays, à ta race, à ta langue, pour faire davantage de profit! Je le sais!... Tu serais prêt à nous vendre à l'Angleterre, traître!

126

Je te le dis franchement, à la place de Jean-Baptiste, je lui aurais fait ravaler ses mots, là et maintenant, à Leber, tout seigneur qu'il fût. C'est mon grand défaut d'avoir le caractère prompt et l'honneur facilement froissable. Crois-moi, j'en ai vu des dizaines d'hommes se provoquer en duel pour moins que ça!

Jean-Baptiste, lui, s'était levé et regardait ses deux mains, à plat sur la table, immobile comme un lion de montagne guettant sa proie, ses muscles si tendus sous sa veste de daim qu'on en devinait les contours. Jacques Leber, plus grand, plus mince, presque délicat devant notre coureur des bois, le fixait pourtant droit dans les yeux, sans broncher.

Après un temps qui nous sembla une éternité, Jean-Baptiste se rassit tout simplement et dit:

— Sors ton vin, Jacques, on va en parler!

Le grand Jacques Leber se retourna posément, ouvrit la porte et demanda trois bouteilles de son meilleur vin. La discussion ne reprit qu'après que chacun eut vidé son verre et fait l'éloge de son vignoble bordelais, mais sur un ton calme et détaché, comme si rien ne s'était passé.

Jamais je n'ai rencontré un homme aussi en contrôle de lui-même que Jean-Baptiste Amyot. Et il fallait qu'il l'aime, le Leber, pour ne pas l'avoir occis sur-le-champ!

Entre deux gorgées de bon vin, il racontait lentement tout ce qu'il connaissait de la colonie angloise, comment on y amenait les nouveaux colons par centaines, chaque année, et comment on les encourageait aussitôt à se regrouper en village, sur un

127

nouveau territoire, et à en faire rapidement l'exploi-
tation. Leur religion même les encourageait à prendre possession de la terre et à faire fructifier leurs
biens. Ces gens-là avait érigé la parabole des deniers
en dogme: le profit est saint! Et le roy d'Angleterre
respectait, lui, ce droit de chacun de ses sujets à la
prospérité. Comme dans le tarot, pour eux, la suite
des deniers est celle qui a le plus de valeur.

— Je ne dis pas qu'il faut se convertir à leur roy,
répétait-il prudemment, comme refrain de sa chan-
son, mais j'affirme que nous devrions imiter ce qui,
de toute évidence, leur réussit. Sinon, nous allons le
perdre, ce pays-là, par la seule force du nombre. Je
ne dis pas non plus que tout est parfait chez eux,
mais j'affirme que nous devons réagir vite... et autrement que par les armes! Les seuls généraux capables
de gagner cette guerre, Jacques, ce sont les grands
marchands comme toi! En offrant de la meilleure
marchandise qu'eux aux Indiens, et de meilleurs
échanges. C'est à travers les bonnes affaires que se
créent les plus solides liens d'amitié...

Et là, Leber ne pouvait qu'acquiescer.

— Plutôt que cela, nos jésuites se promènent en
leur disant que la terre est une vallée de larmes et
qu'ils devraient cesser de s'y conduire comme en
paradis. Ils leur demandent de renoncer à leurs
biens pour tout donner au roy de France, leur nouveau père. Les Anglois, eux, ne se réfugient pas derrière leur roy pour convaincre les Indiens de faire
affaire avec eux; ils les achètent au prix fort, puis
peuplent leurs territoires de leurs nouveaux colons.
Eux aussi, ils les auront par le nombre.

Quand Jean-Baptiste eut terminé son bilan du Nouveau Monde, nous nous rendîmes à ses arguments, et à l'évidence. Le duc d'Orléans, régent du jeune Louis XV, pas plus que Louis XIV avant lui, n'aimerait cette Nouvelle-France qui, à leurs yeux, coûtait trop cher, et ne rapporterait rien.

Alors que pour les Anglois, entassés sur leurs petites îles, l'Amérique, c'est la chance de leur vie! C'est l'espace, la terre à perte de vue, la liberté d'entreprendre.

Tu vois, ma *chatouno,* l'histoire de nos colonies, c'est celle d'une vie humaine. Tu places deux personnes, de talents égaux, devant la même chance: l'une en profite et l'autre pas. L'une y croit, travaille, s'acharne et s'entête jusqu'à ce qu'elle réussisse, l'autre geint et maugrée, exige que tout lui tombe cuit dans le bec ou se laisse convaincre qu'elle est née pour un pain rassis. La seule différence entre les deux, c'est la ténacité, la volonté de réussir. Moi, je n'ai jamais rencontré quelqu'un qui ait gagné une course à reculons!

* * *

Voilà que le moment approche où je devrai te dévoiler pourquoi je tiens si ardemment à te raconter ma vie en Nouvelle-France. Je vois déjà tant de questions dans tes yeux. Pourquoi avez-vous quitté Migwa, ou est-ce elle qui...? Et Catherine Rouensa? N'a-t-elle pas accompagné les Lacerte à Ville-Marie? Qu'est-il advenu du projet de faux-monnayage? Je te dirai tout, va, la vérité viendra avec les mots. Il ne s'agit plus de courir au-devant mais de marcher avec elle.

Suis-je certain de bien faire? Madeleine me le dirait, elle. Je la devine, là-bas, sous ses couvertures, dans la cabane de lit qui sent bon le cèdre et le camphre. Je l'entends respirer, là, maintenant, quand tout est calme. Le souffle fragile d'un nouveau-né: une respiration régulière puis, soudain, rien, pendant trois, quatre interminables secondes, l'univers tout entier retient son souffle. Jusqu'au grand soupir, un soupir tellement franc, tellement entier qu'il me comble de joie.

Toi aussi, Marilou, tu en avais de ces soupirs-là, quand tu étais petite. Mais le pire, c'était Charles. Chaque gros soupir, un reproche, comme s'il ne se résignait qu'à grand-peine à revenir à la vie.

Ça m'en a pris du temps à accepter que mes fils soient si différents de moi. J'avais passé trop de temps à jouer au soldat, à combattre, à châtier et à m'ennuyer jusqu'à la prochaine échauffourée. Eux, la vie, ils l'ont prise comme elle est venue, jour après jour, sans impatience, sans attente non plus.

Prends Charles, mon gaillard. Je le revois, à quatorze ans, pas plus haut qu'un sabre, partir chez maître Jean Truillier Lacombe, faire son apprentissage de forgeron.

Il n'en menait pas large, le Charles. Madeleine lui avait confectionné les plus beaux habits. Il avait l'air d'un bourgeois, emprisonné dans son justaucorps et sa veste rouge foncé, sa chemise de toile fine, sa culotte à jarretières et ses souliers vernis. J'ai même eu peur que maître Lacombe le prenne pour une alouette qui ne voudrait pas se salir les mains.

C'est son air pataud qui le sauvait, mon Charles. De le voir si petit malgré ses quatorze ans, et pourtant si costaud, avec sa grosse tête chevelue et ses oreilles décollées, ça vous le rendait sympathique, de suite.

Mon Dieu qu'on aime mal! Pour moi, cette journée-là était une réjouissance; mon fils allait devenir maître forgeron. Mais, pour lui, ce fut un drame.

Il ne voulait plus quitter la maison. Il aurait aimé étudier, lui aussi, comme son aîné, et surtout rester auprès de sa famille. Moi qui l'aimais tant, je passais à ses yeux pour le méchant démon qui l'arrachait à sa mère pour le jeter dans les feux de la forge. Ah! comment fait-on pour être bon père?...

J'ai voulu, coûte que coûte, que mes fils fassent quelque chose de plus que leur vieux soldat de père. J'ai réussi. L'un est voyageur, l'autre maître forgeron. Mais je n'ai pas réussi le plus important: me faire aimer. Je vais mourir honni par tes frères. J'ai à peine eu le temps d'aimer et de connaître l'amour d'une femme, comment aurais-je pu réussir à me faire aimer des enfants, de mes enfants? Et de moi? Tout commence pourtant par là, n'est-ce pas? Je me souviens des paroles de Migwa: «Débarrasse-toi de ta haine, elle te brûlera le cœur.»

Il ne me reste plus que toi, Marilou, toi et mes fantômes, les vivants de mes rêves, tous nos petits morts, à Madeleine et à moi. La Ville-Marie de nos amours a déjà basculé du côté des rêves.

Charles est devenu apprenti forgeron le 16 juillet 1733, trois mois après la mort de sa petite préférée,

Marie-Amable, emportée par une de ces fièvres meurtrières qui font leur apparition, chaque printemps, au dégel dans cette ville pourrie par en dedans. Mon Dieu! Qu'est-ce qui se passe? Vite! va voir... vite!

* * *

Elle va bien, tu en es sûre? Ah! *maudicho fèure,* maudite toux. Elle nous aura tous à la fin! Ta mère respire mieux maintenant, non? Tu lui as frotté la poitrine de cette potion de menthe, de camphre et d'eucalyptus du vieux pays? Tu lui as redonné de la tisane de tilleul et de valériane pour qu'elle dorme bien? Bon.

Pauvre petite, que de problèmes nous te causons. Moi qui te souhaitais une vie de contes de fées, et te voilà, seule jeunesse dans notre grande maison, à t'occuper de deux vieillards moribonds. Ah! si nous pouvions disparaître en une nuit, sans ennuyer les autres! Faire comme ces vieux Indiens, reconduits par leurs enfants au sommet des plus hautes montagnes. Pour tout bagage une couverture de laine, une pipe et du chanvre. M'amènerais-tu là-haut? Eh! ne t'en fais pas, je préfère mourir ici, bien au chaud. Revenons à mon sieur Leber et à sa colère contre Amyot et, ensuite, je te parlerai de notre voyage aux Trois-Rivières.

Quand nous eûmes bu le vin de la réconciliation, Jacques Leber de Senneville nous confia ce qui, au fond, l'avait rendu si irascible. Oh! sans insister, il était trop fier pour ça! Comme tout bon Montréaliste. La fierté, Marilou, c'est une teinture qui

132

pénètre jusqu'aux os. Ça nous reste, quand bien même on nous écorche vif! Non, le vin aidant, il laissa tomber tout simplement:

— Une cornette vient de m'annoncer la mort de ma sœur, hier. En état de grâce, bien sûr. Vous savez comme elle était dévote, notre célèbre recluse... J'ai ici ses dernières volontés: dix-huit mille livres en argent sonnant qu'elle lègue à sa communauté, avec ses meubles et ses effets personnels. À moi, cette lettre, que je lui avais expédiée de Versailles, il y a vingt ans, et dans laquelle je lui demandais un peu d'argent, je crois.

Une ironie pour héritage! Il n'y avait dans la voix de Leber aucune rancœur. Que de la lassitude! Je ne fus pas le seul, va, à remarquer que cette vieille missive adressée à sa sœur portait toujours son cachet et qu'elle n'avait jamais été ouverte!

La dévote, au courant de la conduite de son jeune frère, n'avait même pas daigné lire son envoi. Crois-tu vraiment, petite, qu'on peut être si intolérante et sainte à la fois?

Moi, j'en doute. Cette société n'est pas différente des autres que j'ai connues; elle se donne les saints qui lui conviennent. Les autres, les vrais, ceux qui dérangent, elle ne les sanctifie que des siècles plus tard, quand le temps lui permet de remodeler leur histoire à sa façon, sans témoin gênant.

Je ne cherche pas à te faire détester ton Église, Marilou, de toute façon, qu'est-ce que ça me donnerait? Mais c'est à ça que c'est le plus utile, un vieux: à se rappeler correctement un passé que d'aucuns aimeraient réinventer à leur convenance! Les sociétés qui n'écoutent pas leurs vieux se font berner par le premier venu. C'est aussi pour cela que je te raconte. Que tu saches ces choses-là.

Leber balaya l'air avec l'enveloppe, comme s'il voulait chasser un maringouin, puis il marcha vers la cheminée et l'y jeta... Il se retourna vers nous, eut un sourire et se mit à nous parler d'une entreprise qu'il avait montée avec le gouverneur des Trois-Rivières, François de Gallifet de Caffin, pour faire venir une cale pleine de bons vins de Bordeaux. Deux mille bouteilles en tout! Monsieur de Gallifet étant, comme vous dites, les jeunesses, grand ami de la dive bouteille, Leber n'avait eu aucune peine à le convaincre d'investir plus de trois fois son propre investissement. Et pas en monnaie de cartes!

Après les Fêtes, il proposa donc à Labrie de descendre, en raquettes et traîneaux, aux Trois-Rivières, conclure avec le sire les derniers arrangements et surtout percevoir le remboursement des frais de financement de l'opération.

Qu'allaient faire les deux comparses de toutes ces bouteilles? Les vendre, bien sûr, à la grande société. Et en garder quelques centaines pour leurs caves. On disait que Gallifet avait la plus belle de toute la Nouvelle-France.

IX

Je n'eus aucune difficulté à obtenir la permission d'accompagner Louis. Notre nouveau major des troupes du roy à Ville-Marie, François Le Verrier de Rousson, cherchait à plaire aux grands marchands; il s'empressa de répondre à la requête de Jacques Leber de lui fournir deux soldats pour l'expédition, Charles Alavoine et moi.

Nous partîmes à la fin de janvier, entourés de curieux venus voir les attelages de chiens que nos jeunes amis Sioui s'étaient procurés Dieu sait où, loin au nord de Ville-Marie.

Nous apportions avec nous une dizaine de gros sacs de farine pour les Lacerte et les indigents du village et plein de friandises que ta grand-tante Marianne Labrie avait préparées pour sa sœur et ses enfants.

Ces équipages de chien filaient à la vitesse du vent. Nous étions allongés dans le plus grand confort au fond des traîneaux, Louis et son seigneur dans un, Alavoine et moi dans l'autre, emmitouflés jusqu'au bout des oreilles de peaux de bête et de lainages.

Les frères Sioui, eux, se tenaient debout sur les patins arrière des traîneaux et excitaient les chiens à courir de plus en plus vite, comme si le diable était à nos trousses. Le fleuve était gelé dur et nous en longions les berges à des vitesses folles.

Le soir, les Sioui nous construisaient en quelques minutes notre cabane de peaux et de branches. Nous allumions un petit brasier qui nous gardait suffisamment au chaud. Un soir, quand le froid devint trop intense, nous érigeâmes des murets de neige autour de la cabane et cela nous suffit pour passer une nuit des plus confortables.

Nous ne mîmes que quatre jours à atteindre les Trois-Rivières. La dernière nuit, la lune était si belle et il faisait si doux que nous avançâmes du crépuscule à l'aube, sans forcer, pour ne pas épuiser les chiens. Mais ils avaient aussi hâte que nous d'arriver! Tu aurais dû les voir gambader sur la neige bleutée! Et une fois arrivés, dételés, attachés individuellement à leur pieu, se jeter sur la viande que leur lançaient nos amis et la déchiqueter comme s'ils avaient peur qu'elle revive et prenne sa revanche!

Notre arrivée, ce fut la fête, tu penses! Nous passâmes un bon deux heures à nous embrasser, à déballer des étrennes, à nous remercier les uns et les autres, à parler tous en même temps. Chacun de son côté se mit au courant des petites nouvelles de l'automne et de l'hiver, avant de passer à table, et quelle table! Madame Lacerte et ses filles s'étaient surpassées. À croire qu'il n'y avait ni pénurie ni famine aux Trois-Rivières. Pâtés, tartes, tourtes, pains et viandes de toutes sortes, et du vin à profusion. Les parents de Madeleine savaient recevoir.

Nous étions dix-neuf à table. Jacques Leber partageait les honneurs avec monsieur Lacerte, Louis et Alavoine. Moi, j'étais assis tout au centre. Madeleine me faisait face et, à sa droite, devine qui lui chuchotait sans cesse à l'oreille en me lançant des œillades enjouées: Catherine Rouensa!

Les deux coquines s'étaient certainement entendues pour me faire rougir de honte, d'embarras ou des deux à la fois, et me faire perdre contenance! Mais ça ne marcha pas, du moins pas au début! Je restai imperturbable le repas durant. Elles pensaient peut-être avoir affaire à n'importe quel jeune blanc-bec. Je leur montrerais moi!

Tu n'as pas connu Anne, de douze ans la cadette de Madeleine. La plus belle des filles Lacerte. La plus belle et la plus coquette. On l'avait assise à ma gauche et, étant gaucher, j'en pris prétexte pour me tourner légèrement vers elle et concentrer mes regards sur son joli minois. Bientôt nous parlions, elle surtout, de tout, des coiffures à la mode, des potins des «belles» familles des Trois-Rivières, et de ceci et de cela, des ragots du village à la dernière aventure de Barbe, la somnambule de la famille.

Je m'efforçais d'accorder toute mon attention à Anne, évitant les regards de ta mère et de Catherine, qui, devant moi, semblaient s'agiter de plus en plus sur leurs sièges. Je captais çà et là quelques bribes de conversation entre monsieur Lacerte, Leber et

Louis, sur l'éternelle faiblesse de la monnaie de carte et la chute des prix du castor... Les minutes s'écoulaient de plus en plus lentement. Bientôt, chaque parole d'Anne me parvint déformée, confuse, comme si elle me parlait à travers une cascade d'eau. Mes paupières devinrent plus lourdes à porter que le bourdon de Notre-Dame. Pour tout te dire, je m'endormis là, à table, devant tout le monde! La honte!

Oh! on mit ça sur le compte de la fatigue et du bon vin, on s'inquiéta de ce que je couve une mauvaise fièvre, on tenta même, me dit-on plus tard, de me faire avaler de grandes rasades de liqueur d'érable bien chaude. Ah la la! Non seulement je dormais, petite, mais je dormais si dur qu'on ne put me réveiller; ils se mirent à quatre pour me porter dans la chambre d'invité du rez-de-chaussée, celle que devait occuper seul notre sieur Leber, mais qu'on préférait maintenant me donner, de peur que mon sommeil subit soit, lui aussi, contagieux.

Évidemment, moi, je n'étais conscient de rien de tout cela, je dormais dur comme un ours en plein hiver. Si profondément que je n'en ai souvenance... jusqu'au milieu de la nuit, où je fis un drôle de rêve: j'étais étendu dans un champ, l'été, un champ qui ressemblait étrangement à la petite clairière près de Ville-Marie où Catherine Rouensa et moi avions passé une si belle journée. Cela sentait bon la lavande et les fleurs des champs et je luttais paresseusement contre le sommeil. Un oiseau vint se poser tout près de mon visage puis, tu sais comment les rêves sont absurdes parfois, il s'arracha lui-même une grande plume de la queue et se mit à me chatouiller les narines avec, en criaillant comme s'il avait tous les chats du monde à ses trousses.

La sensation devint trop forte, je m'éveillai pour de bon. Tu sais ce que je vis? Ta mère, Marilou, ta propre mère et son amie Catherine, assises de part et d'autre sur mon lit, en chemise et bonnet de nuit, pleurant de rire d'être parvenues à me réveiller avec leur plume de malheur.

Avant que je puisse leur demander ce qu'elles faisaient là, Catherine reprit son souffle, se pencha sur moi et me chuchota:

— Alors, monsieur le soldat, on a honte de ses petites amies sauvageonnes, on ne veut plus nous parler en société?

Je lui répondis aussitôt qu'il n'en était rien mais que, devant la famille de monsieur Lacerte, je n'avais trop su comment me comporter, ce qui les fit rire encore davantage!

— Et vous avez l'habitude de vous endormir ainsi à la table de vos hôtes, monsieur Personne? C'est plus séant, sans doute.

Cette remarque de Madeleine acheva de me réveiller. Je m'étais vraiment endormi à table! Comment excuser cela? Et qu'avaient pensé monsieur et madame Lacerte et Leber, et Louis? Que diable s'était-il donc passé pour que je perde ainsi conscience? Je n'avais pourtant bu qu'un peu de vin, beaucoup d'eau, et un thé à la menthe, vers la fin du repas...

Je devais en faire une tête! Elles n'arrivaient pas à calmer leurs fous rires! Je les saisis aux poignets:

— Ah! drôlesses, vous m'avez drogué! C'est ça! Je vais vous en faire, moi, des coups de ce genre! Attendez que j'appelle et qu'on vous découvre ici, en pleine nuit.

Là, elles trouvaient ça moins drôle, les coquines! C'est qu'il n'était pas commode, le sieur Guillaume Lacerte! Et ta grand-mère Marguerite encore moins! Un écart de conduite comme celui-là, sa propre fille, assise, en petite tenue, sur le lit d'un étranger, cela vous menait tout droit au couvent!

— Monsieur, me dit Madeleine, tout à coup sérieuse comme la Maintenon, veuillez croire que les motifs les plus nobles et les plus sérieux nous ont poussées à agir ainsi. Nous voulions à tout prix vous entretenir cette nuit, dans le plus grand secret, d'une situation grave qui engage l'honneur de notre famille et que vous seul êtes capable de dénouer en notre faveur. Je vous en conjure, pardonnez-nous notre audace, et écoutez-nous!

Allons bon, qu'est-ce qu'on me racontait là? Me tendaient-elles encore un nouveau piège dans lequel, gros bêta, je plongerais aussi aveuglément que dans le premier? Ces deux filles m'avaient drogué et, maintenant, elles me suppliaient de venir à leur aide! Drôle de façon de se faire des alliés!

Tout cela m'arrivait-il vraiment? Je n'arrivais pas à en croire ni mes oreilles ni ma main que tenait cette jeune femme, vêtue d'une simple chemise de nuit et qui s'exprimait comme une dame de la cour. Je me demandai si je n'étais pas victime d'un de ces rêves dans lequel tu crois t'éveiller et qui, dès lors, devient aussi vrai et bouleversant que la réalité.

— Vous la trouvez jolie, n'est-ce pas, poursuivit ta mère?

— Qui donc, mademoiselle?

— Ma jeune sœur, Anne. Vous lui avez parlé tout le repas! On dit déjà, aux Trois-Rivières, qu'elle est la plus belle fille de toute la région, et elle n'a pas encore quinze ans! La pauvre petite!

— Mais qu'y a-t-il de si terrible à cela, mademoiselle?

— Oh! rien, au contraire, si nous habitions un autre endroit...

Et ta mère de me raconter comment, à la messe de minuit, Anne avait conquis tous les cœurs en chantant, seule, d'une voix vibrante, un cantique qui avait ému jusqu'au vieux curé Joseph Denis. Pas un homme dont la tête ne s'était tournée vers le petit jubé où elle se tenait debout, belle comme la Vierge Marie dans sa robe bleu ciel, ses cheveux blonds et bouclés auréolés par les feux de l'orgue.

À l'avant de la nef, il y avait un immense banc de bois précieux, importé de je ne sais où, et tout sculpté. À la vérité, cela ressemblait davantage à une cabane basse qu'à un banc. À l'extérieur, chacun de ses pans était sculpté en bas-relief. À l'intérieur, ses parois étaient recouvertes du plus beau velours rouge, bordé de cordons d'or. Un meuble de roi! Le prie-dieu, comme les deux fauteuils qui s'y trouvaient, était capitonné de cuir noir; et il y avait même de petites boîtes grillagées, qu'on pouvait remplir de tisons ardents pour garder les pieds au chaud! Même le gouverneur général de la colonie n'avait pas un banc aussi somptueux dans la cathédrale de Québec, et l'intendant encore moins.

Une seule personne s'y trouvait, dans ce banc, pendant que les derniers accents de la voix d'Anne s'éteignait: François de Gallifet de Caffin, officier du roy et gouverneur des Trois-Rivières, ne s'était pas contenté de tourner la tête; il avait carrément tourné le dos à l'autel pour mieux la voir. Il fixait Anne de ses yeux bleu mystère et les lampions de l'autel faisaient comme un halo autour de sa chevelure blonde, folle, qui lui descendait jusqu'aux épaules.

Il l'observa si longtemps qu'elle dut, pour échapper à son regard, se réfugier derrière le vieil orgue. Toute l'assemblée des fidèles en fut embarrassée.

Ah! je m'imagine la scène! Celui-là, le Gallifet, quand il avait une chose en tête, rien ne l'arrêtait! On m'en avait beaucoup parlé, tu sais, à la garnison de Montréal, où il avait été lieutenant, quelques années avant mon arrivée.

Ses soldats l'adoraient pour son courage et son franc-parler, mais ils l'avaient surnommé Gafillette. Pas pour ses longs cheveux! Pour les fillettes! Notre sieur, tu vois, était friand des très jeunes dames! Gafillette! Ne t'y trompe pas, il n'y avait aucune méchanceté dans ce sobriquet-là. De la façon dont ils m'en parlaient, de leur ex-lieutenant, ses *soudards* se seraient fait scalper pour lui sauver la peau!

Mais Madeleine avait raison d'être inquiète de l'avenir de sa jeune sœur. Quand un tel homme se met jupon en tête, plus rien ne l'arrête! Pas même la menace d'être révoqué par le roy! Crois-moi crois-moi pas, seule sa réputation de bon soldat l'avait empêché d'être exilé, douze ans plus tôt, pour grossière indécence! Si son béguin pour Anne était aussi sérieux que cela semblait, il fallait craindre le pire. Je promis à mes diablesses de chercher une solution.

Le mieux n'était-il pas de convaincre monsieur Lacerte de laisser Anne venir habiter chez Marianne et Louis? Anne nous suivrait volontiers! Elle adorait son oncle Louis et, disons-le franchement, les bons partis se trouvaient tous à Montréal!

Le lendemain matin, je réussis à voir Louis à part et je lui racontai l'anecdote de la messe de minuit. Il en fut aussi courroucé que moi. Les sourcils en circonflexe, le front plissé, il se prit une pincée de peau juste sous la pomme d'Adam et se mit à tirer dessus comme la grive son ver du trou.

— Bon, conclut-il, après un long moment, c'est simple, il faut lui offrir sans délai!

— Quoi?...

— Il faut lui offrir Anne sans délai, je te dis. Ce gaillard-là considère les femmes comme des trophées de chasse. Plus la proie est difficile, plus il s'entête. L'erreur, ce serait de lui dérober sa proie. Il serait capable de la poursuivre jusque chez les Miamis. Non, il faut lui offrir Anne chez lui, ce soir même! Tu verras, il s'en désintéressera.

— Mais si ça ne marche pas?

— Ça marchera. T'inquiète pas, je m'occupe de tout! Et puis, je n'en dis pas un mot à personne, comme ça, tu auras l'air d'un vrai héros aux yeux de ces dames.

Perruquier de mauvais poil! À la vérité, je regrettais presque de l'avoir mis en confidence. Qu'allait-il donc manigancer? Rien de plus, rien de moins que ce qu'il avait annoncé.

Ce soir-là, nous accompagnâmes Jacques Leber chez le gouverneur, comme cela était convenu. Vers le milieu de la soirée, un messager vint demander notre seigneur; Louis et moi restâmes seuls avec ce grand personnage. Sa stature m'en imposait. Assez grand et aussi costaud que je pouvais l'être, ce démon avait une longue chevelure jaune comme le soleil du midi et des yeux d'un bleu si profond qu'on croyait y voir des coquillages et des coraux, tout au fond.

Sa voix impressionnait et charmait tout à la fois. Elle avait la même intensité calme que son regard, la même chaleur que le feu. Un incendie de vie, de force et de chaleur, voilà ce qu'il était, le sieur de Gallifet.

Louis approcha son siège du sien et lui parla longtemps à l'oreille. Gallifet écoutait sans dire un mot. Après un bout de temps, Louis alla à une porte, sur le côté, l'entrouvrit et laissa entrer Anne. Je ne sais pas qui, du gouverneur ou de moi, fut le plus bouleversé. La créature qui vint vers nous, c'était une Anne vieillie de vingt ans, la peau rougie et boursouflée, les doigts sales et bleuis, les dents noires et jaunes. Elle se jeta en pleurant aux pieds de Gallifet qui ne put s'empêcher de se réfugier derrière le dossier de sa chaise; en pleurs, Anne l'implora de la prendre chez lui, à l'abri des regards de tous.

— S'il vous plaît, seigneur, aidez-moi à camoufler cette horrible souillure, je vous en conjure.

— On verra, on verra, lui répondait Gallifet, tout déconcerté.

Presque aussitôt, on entendit des bruits vers l'avant. Jacques Leber revenait, suivi d'un domestique les bras chargés de bouteilles. Anne eut tout juste le temps de regagner sa retraite, à l'abri de leurs regards.

— Un échantillon, monseigneur! Laquelle déviergeons-nous?

Je te jure que, d'entendre cette expression, le gouverneur rougit comme une couventine.

— Ah! non, se reprit-il, vous êtes mes invités, c'est à moi de vous faire les honneurs de ma cave!

Au deuxième verre d'un excellent bordeaux, je me demandais encore si j'avais rêvé ou si j'avais vraiment vu Anne sous les traits de cette pauvre fille. Parce qu'enfin, ma douce, Anne était la plus belle et la plus gaie des filles; elle n'avait rien en commun avec cette traînée pustulante et braillarde, aux pieds du gouverneur.

Je sus plus tard qu'elle était venue, elle aussi, se confier à Louis et qu'ensemble ils avaient passé une partie de la nuit à mettre au point leur petit théâtre. Tout cela avant même que je demande l'aide de mon grand escogriffe.

Le plan était simple: après sa petite mise en scène, Louis viendrait demander au seigneur de signer, dans le secret, un sauf-conduit pour sa nièce, atteinte d'une maladie si honteuse... et si contagieuse qu'un seul toucher pouvait la transmettre.

Voilà pourquoi la coquine avait bu je ne sais quelle concoction du manitou qui avait transformé ses joues de pêche en carapaces de crapeau! Mais quelle comédienne aussi!

Cette nuit-là, le sieur François de Gallifet signa sans hésiter le billet, et perdit à jamais le goût de séduire Anne. À jamais! De telles maladies, il le savait, on n'en revient pas.

Ne restait plus qu'à faire disparaître Anne en l'amenant avec nous, avant que Gallifet se doute de la duperie dont il était victime. C'en était au moins une de sauvée! Bien d'autres n'avaient pas eu cette chance! Des mignonnes de douze, treize ans, débauchées au vu et au su de leurs parents!

Je t'ai dit qu'il avait failli être déporté plusieurs années auparavant, pour ses écarts de conduite. En 1720, il n'y coupa pas: le roy lui ordonnait de se retirer du service et de revenir en France. Gallifet dut partir calmer ses ardeurs au fin fond de ses terres ancestrales, près d'Avignon. À ce que je sache, il y vit encore, à soixante-dix ans passés. Sa passion pour la chair fraîche, comme dirait Louis, ne l'a jamais quitté!

X

Le goût de la chair fraîche. Le goût de la chair de femme, un point c'est tout. Hypocrite que je suis! Je l'avais moi aussi, ce goût de rattraper le temps perdu, de posséder ce qui nous a si terriblement manqué quand on était jeune. Comment ne pas l'avoir quand tout ce qu'on a connu, durant sa vie de soldat, ce sont coups et bosses, amitiés guerrières et filles à soldat.

Je l'ai eu toute ma vie ce goût-là! Il y a quelques années, je ne rêvais encore qu'à ça! Qu'une jeunesse s'éprenne de moi, sans raison, qu'elle me fasse l'amour et s'extasie, qu'elle me trouve beau, que je redevienne jeune une dernière fois!

Je m'imagine ce vieux sacripant de Gallifet, tout édenté, en train de faire lichette à une petite paysanne! Moi, lui reprocher quelque chose? Je l'envie! Mais Dieu que je l'ai trouvé bête d'afficher ses passions aussi ouvertement. Hypocrite comme un curé que je suis!

Gallifet charmait, trompait, menaçait, promettait n'importe quoi pour séduire une fille...

À sa place, avec ses richesses, ses pouvoirs et mon appétit plus grand que la bande, c'est tout un village secret, tiens, que j'aurais peuplé de belles demoiselles. Mais la séduction, j'avais ça en horreur! On me l'avait fait le coup de la séduction, jusqu'à ce que je vomisse toutes mes tripes! Enfant, j'avais été le plus dévot, le premier des catholiques de Hautefort. Chaque soir, je pleurais de n'avoir pu égaler en sagesse et en vertu mes saints modèles. Chaque jour, je me torturais pour devenir sans péché, sans reproche! Et je croyais que tous les nobles, tous les curés de France étaient les élus du bon Dieu.

Cette Église omnipuissante m'avait séduit. J'ai même pensé, jeune soldat, demander une dispense spéciale pour quitter l'armée et devenir curé, pouvoir enfin me consacrer à Dieu! Françoise, la sœur aînée de mon père, retirée dans son château de Champagne, m'aurait payé mes études avec le plus grand plaisir. J'aurais fait un bon curé; jamais je n'allais boire ou faire la fête! Et je n'allais voir les filles que par souci d'hygiène.

J'économisais et je passais toutes mes soirées à apprendre, presque sans aide, à lire et à écrire. Ce n'était pas par soif de connaissance, c'était pour devenir l'esclave de Dieu! La belle ambition!

Ah! je ne gallifettais pas la chair fraîche de ces femmes hérétiques, j'aspirais trop à la sainteté pour cela. Péché de chair! Mais je n'empêchais pas les autres de le faire! Et si j'avais commencé ma brillante carrière vingt ans plus tôt, ce sont mes propres parents que j'aurais pillés, torturés, et assassinés ainsi, avec la bénédiction et les remerciements de notre très sainte mère l'Église! Moi, fils d'Huguenots martyrs, j'aspirais à imiter leurs assassins!

* * *

Écoute ta pauvre mère! Elle va de mal en pis. Je la sais lasse de ce corps de vieille qui ne lui ressemble pas, ce corps trop lourd, trop lent, trop souffrant pour elle qui était toujours si enjouée et si légère! Alors, elle ne lutte plus, elle laisse aller sa vie. Elle l'abandonne pour un rêve, pour un songe...

Je dois me hâter de finir ma longue histoire, me vider de tous ces mots, m'en étourdir jusqu'à ce que ne restent plus que les essentiels, les derniers, ceux qui marqueront ma fin du monde et le début de ta vie de femme. Ces derniers mots me retiennent à la vie, retardent mon départ. Je sais qu'il n'y a pas de hasard, ma douce, mais toujours la vérité menace de ne pas être au rendez-vous.

* * *

Pauvre Gallifet! Tu sais maintenant jusqu'où peut aller la folie d'un homme en rut! Pas moyen de le retenir, c'est le gouvernail qui mène! Ni la raison, ni la tête, ni même le cœur n'ont droit de parole quand il se dresse, celui-là! Et nous nous disons mieux que les animaux! À d'autres! Choisis le plus civilisé des hommes, enferme-le dans une chambre avec une jolie femme — ou un joli moinillon, si c'est un curé — et tu verras combien de temps elle restera culottée, la dignité humaine.

149

Dès le lendemain de notre visite chez ce vert galant, notre ami Louis, invoquant un surcroît de travail à sa boutique, demanda à monsieur Lacerte le privilège de ramener avec lui Madeleine — plus qu'en âge de se marier, insista-t-il — et sa sœur Anne!

Ton grand-père fit plus de difficultés pour Madeleine que pour Anne. Perdre aussi son aînée, la seconde mère de ses enfants, la grande confidente de sa femme, ça, il en voyait moins la nécessité. Louis dut utiliser toute son influence pour le convaincre. Son dernier argument fut de taille: Madeleine avait vingt-six ans! Et sa sœur cadette, Marguerite, s'était, elle, mariée à dix-huit ans!

Monsieur Lacerte finit par entendre raison et, quatre jours plus tard, nous faisions place à nos deux nouvelles Montréalistes dans la maison de Louis et de Marianne. Moi, j'eus la chance d'acheter, tout à côté, une vieille maison en pièces sur pièces. Ainsi, je pourrais continuer à fréquenter ma famille d'adoption et à voir Migwa et Madeleine tout en ayant mon propre toit.

Je me mis à rafistoler cette vieille bicoque avec tant de passion qu'on aurait cru que j'avais le diable aux trousses. Toutes mes économies y passèrent. Je n'accordais aucune espèce d'importance, et avec raison, à cette monnaie de cartes que notre gouverneur et notre intendant nous signaient à tour de bras, et que monsieur Lacerte imitait si bien.

J'achetai au bon moment; une semaine plus tard, et je n'aurais rien acheté du tout avec ma monnaie de cartes puisque le bon roy venait de décider de la transformer en lettres de change! Et pour la moitié seulement de sa valeur! Pire, ces lettres de change, le roy ne voulait les racheter qu'à raison de cent soixante mille livres par an durant les cinq années suivantes.

C'était infliger à toute la colonie une blessure plus terrible encore que celles de ce foutu traité d'Utrecht!

Abaisser ainsi notre monnaie à la moitié de sa valeur, c'était sabrer dans notre économie d'autant! La colonie perdait d'un seul coup la somme énorme de huit cent mille livres! Et Sa Majesté voulait que nous continuions à tout mettre en œuvre pour que les Indiens acceptent toujours d'échanger leurs fourrures contre une marchandise de moins en moins bonne qualité. Jacques Leber avait raison! La vraie guerre contre les Anglois, on ne pourrait la gagner qu'avec des sous!

Marilou, cette guerre, nous l'avons perdue il y a déjà vingt-huit ans, par décision du roy de France.

Qu'allions-nous donc faire de toutes ces cartes à jouer qui ne valaient plus que des promesses? Nous résigner! Les utiliser, même! Nous n'avions pas le choix, on ne nous donnait rien d'autre!

Et le projet d'auberge? J'imaginai que Leber allait tout laisser tomber. Je me disais: pas de monnaie de cartes, plus de profit, partant, plus d'auberge! Mais je me trompais! Le sieur de Senneville savait mieux que moi que la colonie avait besoin d'argent et que, tôt ou tard, le ministre de la Marine allait ordonner une nouvelle émission de cartes. Donc, pas de problèmes.

Ces jours-là, l'armée me laissait presque entièrement libre de mon temps. Je travaillais de l'aube au crépuscule avec Marianne, Migwa et Madeleine qui s'ennuyait déjà de sa grande amie Catherine. Anne, elle, passait ses journées à l'école des religieuses. Les après-midi de congé et tous les soirs de la semaine, elle aidait son oncle à tisser ses scalps.

Moi, plutôt que de veiller avec mes amis et leurs nouvelles pensionnaires, j'allais travailler «chez moi», sous les ordres de ton parrain Claude Raynaud, tout frais débarqué à Montréal de la capitale. Le jeune malin y avait terminé son apprentissage d'ébéniste. Ah! le beau métier. Grâce à lui, à Charles Alavoine aussi, et à son fils qui rêvait de devenir chirurgien, à Thibierge et à mes autres amis du régiment, j'eus bientôt l'une des plus belles maisons de la rue.

Claude dirigeait les travaux sans même en avoir l'air; tous l'écoutaient à la botte, le sourire aux lèvres. On travaillait parfois passé minuit. Après, on débouchait le vin! Si bien que, l'eau-de-vie aidant, tout ce beau monde passait une nuit ou l'autre chez moi. Ce n'était plus une cabane de célibataire, c'était déjà une auberge. Je te dis, leurs femmes en furent presque jalouses! Louis venait souvent nous y rejoindre; on y chantait et y buvait une bonne partie de la nuit. Des nuits, on se retrouvait à quatre ou à six, endormis aux tables ou à même le plancher de l'étage comme des galériens les nuits d'hiver!

Ouais... la plus douillette des maisons de la rue! Ah! la façade ne payait pas de mine, mais si tu avais vu l'intérieur! D'abord, ma superbe cabane de lit, toute en bois de merisier, un immense cadeau de Claude! Il l'avait même baptisée «La Culottée» en rappel de notre première rencontre.

Il y avait aussi un bahut sculpté à l'indienne, un cadeau de Jacques Leber, une grande table de chêne, avec sept tiroirs de chaque côté et ses bancs, et surtout, surtout, un magnifique plancher de chêne rouge poncé à la poudre fine et verni à la résine de sapin. Ma maison, j'en refusai trois fois le prix dès le printemps suivant!

Le jour, dans la cuisine des Labrie, j'apprenais à mieux connaître Madeleine, sans trop en avoir l'air vu que, par habitude, ni Marianne, ni Migwa, ni moi ne parlions beaucoup quand nous avions les mains à la pâte. Madeleine s'était pliée aisément à cette règle de la maison. Nous aurions voulu faire autrement, prendre le temps de s'arrêter et de causer lentement devant une bonne boisson chaude, nous n'aurions pas pu! Les affaires de la boulangerie allaient si rondement que nous n'avions que le temps de préparer et de pétrir la pâte, de l'enfourner et de vendre nos pains tout chaud!

Obsédé par ma maison, ce silence, de toute façon, m'arrangeait: j'en profitais pour songer à telle ou telle encoignure, au parquet que nous n'en finissions plus de poncer, et à tous les petits travaux à faire. Un peu plus et mes pains avaient l'air de meubles de maison!

Un regard, un geste de Madeleine, son parfum, soudain tout près de moi, sa démarche légère, son sourire et sa bonne humeur, tout en elle me charmait! Et le soir, quand j'étais enfin libre de me

153

consacrer à mes travaux, je ne pensais plus qu'à elle.

Comment donc cela était-il possible? Comment, en si peu de temps, m'étais-je éloigné de Migwa? Pourquoi ne l'avais-je pas invitée à partager ma nouvelle couche? Pourquoi ne me l'avait-elle pas demandé?... Comment répondre à toutes ces questions?

Je passais parfois une, deux semaines, sans me retrouver seul avec elle. Et quand cela se produisait, nous parlions plus en camarades qu'en amants. Elle me disait qu'un jour elle quitterait Montréal, qu'elle désirait retrouver les siens, et je ne protestais même pas... ou si faiblement! Et moi je lui parlais de ma maison! Elle ne me demanda pas si je voulais l'accompagner dans son aventure, je ne l'invitai pas non plus à venir partager la mienne!

— Tu sais, me dit-elle, un dimanche qu'on avait fumé son herbe et que nous nous reposions ensemble, quand tu auras fini ton nid, soldat fou, je volerai sous un autre ciel, par-dessus d'autres nuages.

— Qu'est-ce que tu veux dire par là?

— Rêves-tu de voler parfois?

— Tu le sais, je ne dors presque pas! Comment veux-tu que je rêve?

— Réponds-moi! As-tu déjà volé?

— Non.

— Moi, je plane toutes les nuits comme un grand oiseau de proie sans corps et pas toujours dans ce ciel. J'y entends tout ce que tu dis, mais toi, tu ne m'entends pas.

— C'est vrai, je ne te comprends pas.

— Ah! il n'y a rien à faire avec toi. Allez, fume!

Et je fumai, content qu'elle ne m'ait pas reproché mon attitude avec Madeleine et qu'elle ait accepté si facilement sa présence dans la maison. À les voir ensemble, Marianne, elle et Madeleine, on aurait cru qu'elles se connaissaient depuis toujours. Madeleine ne cachait pas l'attrait qu'elle ressentait pour moi et Migwa ne la décourageait pas.

* * *

Quel insensible j'étais! Insensible. Ce mot-là me fait mal, mais il me va comme un gant! Mais peut-on accuser un aveugle de ne pas distinguer les couleurs? Moi, je savais être soldat, pas amoureux! Et j'ai peur de ne pas encore savoir comment. Jamais, tu entends, jamais je n'ai voulu m'avouer, durant toutes ces semaines, que je m'éloignais de Migwa.

Qui sait, dans les eaux tumultueuses d'un rapide, quel canot distance l'autre! Migwa se passionnait de plus en plus pour ses ancêtres, ses rêves, ses rituels magiques. Moi, je ne pensais qu'à me faire un nid, ici, un vrai «chez-moi», mon premier chez-moi, et puis me trouver un métier, si jamais le projet de l'auberge n'aboutissait pas.

Mon bon ami Louis, entre autres, ne comprenait pas ça. Oh! il ne m'en parlait jamais en autant de mots... mais ses silences, eux, en disaient long. Et moi, j'étais trop bête pour saisir les perches qu'il me tendait et lui parler du fond du cœur. Je me renfrognais, je faisais le sourd et lui, sachant qu'on ne peut convaincre quelqu'un qui ne veut pas écouter, évitait de me parler!

Madeleine était là, presque acquise déjà, considérée comme une autre de mes précieuses possessions, le dernier meuble, indispensable à ma maison. Oui, je sais, c'est affreux de dire cela mais, quelque part au fond de moi, c'était vrai! Quel drôle de printemps nous vivions.

Et Marianne qui n'arrivait pas à guérir une méchante grippe qui lui arrachait les poumons. La pauvre maigrissait à vue d'œil, malgré les bons soins de Migwa, de Madeleine et d'Anne.

Anne était la plus heureuse de se retrouver à Ville-Marie. Elle ne manquait pas une seule des fêtes de nos amis. Et elle ne manquait pas de galants non plus! Son rire, sa beauté, sa gentillesse les charmaient tous jusqu'à l'hébétude.

Ta mère, elle, fuyait ces fêtes autant que Migwa. Quand elle devait se rendre à l'une d'elles, elle se faisait accompagner par Bernard Valet, un lointain cousin des Trois-Rivières, soldat dans ma compagnie, et que, pour ma part, je n'aimais pas beaucoup. Elle préférait les gens un à un. «Ensemble, me disait-elle, je les entends tous en même temps, et je ne comprends plus rien.» Moi, je pense plutôt qu'elle s'ennuyait de son amie Catherine et de la «trâlée» de petits Lacerte qu'elle avait élevés avec sa mère.

Parfois, je l'amenais faire un tour de ville en lui racontant les drames et les bonheurs qu'abritaient les maisons devant lesquelles nous passions. Moi qui étais si silencieux, de coutume, je parlais alors sans arrêt et elle riait de tout ce que je disais.

Un dimanche, à la fin du mois de mai, tôt le matin, je vins les chercher, Migwa et elle, pour faire une longue promenade. Nous avions convenu d'aller ensemble jusqu'au bout de l'île, où Louis possédait des terres. Nous avions prévu y déjeuner et ne revenir que tard dans la soirée.

J'étrennais une toute nouvelle calèche à laquelle j'avais attelé Montaigne Ier. Oui, premier! Je les ai tous appelé Montaigne, mes chevaux, parce que côté cœur, tu vois, ils m'en ont appris autant que le grand Maître. Il était trimé tout frais, sa belle queue et sa crinière lavées et tressées comme les cordons d'or de Sa Majesté. C'était un beau cheval bai, de sept ans à peine.

Migwa m'annonça qu'elle devait rester au chevet de Marianne qui faisait une autre poussée de fièvre. Sa santé était devenue si fragile que, la veille, Louis avait demandé à ses amis Sioui d'aller aux Trois-Rivières convaincre madame Rouensa de la soigner avec ses curieuses potions indiennes.

—Je ne veux pas la laisser, Nicolas, me dit-elle. Vas-y donc seul avec Madeleine, ça lui fera plaisir!

Ses yeux qui se ferment, ce ton de voix qui baisse, ce visage qui devient indéchiffrable, ce sourire discret qui empêche toute question, tout cela, je l'avais vu un an plus tôt, quand elle m'avait invité à faire l'amour avec Catherine.

Un sanglot me monta à la gorge. Je ne sus plus que dire. Cette fois, je savais que Migwa ne m'attendrait plus, moi qui restais là, à tourner autour de mes chimères. Ta mère n'a pas dû me trouver très causant ce matin-là. Migwa s'éloignait de plus en plus et j'étais tout à ma peine de la perdre.

Madeleine étrennait une longue robe, vert tendre comme les premières feuilles du printemps et un de ces beaux châles de laine épaisse que tricotait Marianne et qui gardait aussi bien au chaud qu'une couverture angloise. Et elle en avait besoin, crois-moi. De si bon matin, nous cassions la glace sur le chemin!

Malgré le dégel récent, la route était redevenue carrossable. Bientôt, le soleil, le paysage plus doux de cette partie de l'île, l'allégresse de Madeleine firent fondre ma mélancolie. Elle souriait, heureuse, et me jetait des coups d'œil complices, enchantés comme si je partageais avec elle les plus beaux secrets. Tu la connais va! «Fais comme si ça va, et ça ira!», c'est sa devise! Elle s'y est tenue toute sa vie, même aux pires moments.

Ce midi-là, juste avant qu'on arrive à destination, elle laissa glisser son châle de ses épaules pour que le soleil du printemps lui caresse la peau. J'oubliai tout le reste. Le printemps, c'est dans son corsage qu'elle l'avait caché; un corsage à la mode de ces années-là, fait comme une corne d'abondance. Y fleurissaient les plus beaux fruits de Nouvelle-France et d'ailleurs. Mes mains, mes lèvres se prirent pour le soleil, et ta maman ne résista pas.

Nous trouvâmes sans trop de difficultés la concession de terre de Louis, sur la côte Saint-Léonard. On y avait une vue splendide du fleuve et de la campagne environnante. Il n'y avait aucun bâtiment sur ces terres, aussi nous nous rendîmes d'abord chez le sieur Jannot, l'habitant qui exploitait la concession. Sa maison était construite tout au bord du fleuve et sa femme nous reçut comme des seigneurs.

Jamais un repas ne m'a semblé si long. Je ne pensais qu'à entraîner Madeleine dans les champs de cette côte Saint-Léonard, tout apprendre d'elle, tout lui dire de moi. Lui avouer que je l'avais aimée depuis ce premier jour sur les galets gris des rives aux Trois-Rivières, puis à cette grande tablée de la tribu Lacerte, silencieuse, souriante et calme parmi tout le brouhaha des enfants et des adultes, fous de joie de se revoir.

Je pris mon mal en patience et respectai les politesses d'usage; nos hôtes ne nous laissèrent partir qu'une fois que nous eûmes épuisé les derniers potins de la ville. Quand nous les quittâmes enfin, il était presque temps de rentrer. Je lui proposai une brève balade le long des rives du fleuve. Nous avions à peine fait quelques centaines de pas quand elle me lança ces mots qui me glacèrent le cœur:

— Qu'est-ce que je vais faire de vous, monsieur Personne? Vous savez, Bernard Valet m'a demandée en mariage. Je lui ai promis une réponse la semaine prochaine, au baptême du nouveau-né de Pierre et de Marie roy.

La mâchoire m'en tomba jusqu'aux genoux. Des nuages de mouches noires nous tournoyaient autour, comme à chaque printemps. J'ai dû en gober des centaines tant j'étais décontenancé.

Valet était un fat, un mielleux fielleux! On l'appelait Saint-Palais dans la compagnie tant il était précieux de sa personne. Toutes sortes de rumeurs couraient sur l'intérêt qu'il semblait porter aux jeunes soldats. Alors, rien ne m'étonnait de lui. Mais Madeleine! Comment pouvait-elle un seul instant envisager une alliance avec un tel individu? Avait-elle, à vingt-six ans, tellement envie de fonder une famille qu'elle était prête à accepter n'importe qui dans son lit?

Ma colère, ma haine, toutes mes rancœurs s'embrasèrent. Je détestais Valet, je détestais Madeleine de l'avoir considéré un seul instant comme prétendant, je détestais le monde entier! Je me mis à marcher si vite qu'elle dut courir derrière moi. Arrivé à la maison, je sautai dans la calèche, pris à peine le temps de l'entendre y grimper et lançai mon cheval sur le chemin du retour comme le vrai fou que j'étais, sans même remercier nos hôtes de leur hospitalité.

Madeleine tenta de me parler. Je ne l'écoutais pas tant la colère grondait fort en moi. Et cela valait mieux ainsi! Elle n'aurait pas aimé entendre ce que je pensais d'elle à ce moment-là. Arrivé chez Louis, j'arrêtai la voiture et j'attendis qu'elle descende. Je l'imaginais éplorée, désespérée. Je gardai les yeux rivés sur les ridicules capines de laine rouge dont ce farceur de Louis avait coiffé les oreilles de mon cheval «pour qu'on le voit dans la neige qui couvre encore certainement toute la campagne...»

Elle ne descendit pas. Elle resta là, à mes côtés, immobile. Qu'attendait-elle? Je me retenais de vérifier. Comment allais-je me sortir de là? Je ne pouvais quand même pas abandonner ma calèche.

Qu'elle le marie, ce putois, si elle était assez aveugle pour ne pas reconnaître sa vraie nature!

Madeleine se décida enfin. Elle sauta en bas de la voiture et, avant que je puisse réagir, prit les brides de Montaigne Ier et le fit avancer jusqu'à la rampe neuve que j'avais installée devant le trottoir de ma maison. Elle l'y attacha. Je n'avais pas voulu détourner mon regard des capines, aussi, quand elle releva son visage vers moi, je ne pus éviter son regard.

Elle entrouvrit les lèvres, comme pour s'expliquer, sourit, puis se tourna vers la maison, ma maison, et y pénétra d'un pas vif! Je n'en revenais pas! Qu'allait-elle faire là? Voulait-elle me forcer à entendre des explications que je ne voulais pas entendre? C'était mal calculé! Je pouvais, la conscience en repos, mener la calèche chez mon ami et y passer la soirée, si je le voulais.

Je descendis, m'approchai de la rampe pour dégager les rênes. Une jeune femme de bonne famille, entrer comme ça, chez moi, un soldat! L'avait-on vu faire? Le temps était doux et plusieurs Montréalistes en profitaient pour se balader. Songe un peu si l'un ou l'une l'avait aperçue se faufiler chez moi! Et apprendre deux jours plus tard qu'elle était fiancée à quelqu'un d'autre! Non, je devais la sortir de là maintenant, lui fournir un prétexte, lui lancer, par exemple, un tas de vêtements à laver dans les bras, qu'elle le rapporte chez les Labrie.

Je rentrai donc à mon tour d'un pas décidé. Madeleine me tournait le dos, occupée à ranimer le feu. Elle avait attaché son châle sur ses reins. La lueur du feu créait, sur ses épaules de miel, les plus beaux jeux du soleil couchant, toute la magie des crépuscules. Dans ses cheveux couleur de vendanges, des constellations, des voies lactées, des univers. Avant que je puisse prononcer un seul mot, elle se retourna, vint vers moi, et m'enlaça de toutes ses forces!

—Je ne veux pas vous perdre, Nicolas...

Elle parlait tout bas, la tête appuyée sur ma poitrine, à la hauteur du cœur. Chaque mot allumait en moi un feu de vie.

—Je ne veux pas vous perdre. Dès notre première rencontre, j'ai su que je vous aimais. Et j'ai continué de vous aimer, de vous attendre, de vous espérer!

Elle releva la tête, nos bouches se trouvèrent, mes mains glissèrent le long de son dos, le découvrirent, perdirent toute retenue. Enfin... Tu devines la suite! Tu en as eu des amants, toi aussi, hum? Allez, allez!... Et le grand Jean Pouliot? Et Louis, ton fiancé? Ne viens pas me dire que c'est pour taquiner le poisson qu'il t'amenait à l'île aux Fesses, durant la belle saison! Ah! les jeunes, vous êtes tous pareils, vous croyez réinventer le monde!

* * *

Madeleine, mon amour. Malade depuis tant d'années...

Parfois, j'ai l'impression qu'elle a survécu tout ce temps pour une seule raison: m'accompagner, ne pas me laisser seul.

162

Quand nous songions à nos petits enfants morts, ta mère et moi, elle me chuchotait:

— Oh! le ciel ne nous les a pas prêtés longtemps, mais nous les avons eus durant leurs plus belles années, tu ne trouves pas? S'ils sont partis si vite, c'est qu'ils n'avaient plus rien à apprendre. Ils étaient de petits anges venus dans notre maison nous donner des moments de bonheur avant de repartir au pays des aïeux...

Migwa, elle, comparait chaque être humain à la feuille, à la fleur ou au fruit d'un immense arbre-terre sur lequel nous vivions: la feuille qui tombe ne redeviendra jamais feuille, la fleur fanée ne refleurira jamais, mais qu'importe. Elles n'avaient pris toutes deux que des formes temporaires; ainsi, elles pourriraient, deviendraient humus, nourriture pour les racines de l'arbre, sève, puis... mais poussière stérile jamais! Quelle fadaise, ce refrain biblique: «Tu es poussière et tu retourneras à la poussière!» Poussière de vie, oui! Qui naît, qui vit et qui meurt pour mieux renaître, pour apprendre sans cesse à mieux vivre, à devenir Dieu!

Oui, à devenir Dieu. C'est le but de l'univers, j'en suis convaincu. Pour qui, pour quoi? Je ne sais pas. Peut-être parce qu'Il nous manque, terriblement, ce Dieu que nous avons pourtant en nous. Nous sommes tous enceints de Lui!

Tu verras, bientôt, quand tu accoucheras de ton premier-né, tu sauras qu'il est le Dieu vivant. C'est ça, un bébé: un dieu qui vient à l'école du diable.

Chaque chose en son temps. La vie bouillonne en toi, elle prend toute la place; ta jeunesse n'a pas à s'intéresser à la mort.

Madeleine, elle, n'en peut plus d'attendre. Son corps l'abandonne, il a droit au repos. Et l'esprit doit toujours respecter le corps.

Sans elle, ce monde deviendra, pour moi, irréel. Je finirai de le vivre comme un rêve, le temps de pénétrer ton cœur, ma fille, et d'y verser tout mon amour.

XI

Six jours après notre promenade au bout de l'île, Madeleine devenait la marraine de Pierre roy, fils de Pierre et de Marie Pagizié. Bernard Valet, Saint-Palais, soldat de la compagnie de Beauvais, avait été le parrain.

Je n'avais pu me retenir de la suivre à distance, jusqu'à l'église. J'étais resté sur le parvis. Je ne voulais pas la voir jouer un rôle aussi officiel avec ce mauvais soldat.

La cérémonie terminée, après la signature des livres, parents et invités sortirent enfin de l'église. Je m'approchai vivement de Madeleine et de son escorte. Je n'eus pas le temps de la saluer que Valet était sur moi et me bousculait en gueulant:

— Eh! Personne, de quoi tu t'mêles! Tu viens ennuyer ma fiancée? Tu t'intéresses aux blanches, maintenant! Va-t'en, eh, petit visage, laquais aux sauvageonnes!

Moi, je n'avais jamais aimé cet homme, je t'ai déjà dit pourquoi. Mais là, en s'attaquant à Migwa, il dépassait vraiment les bornes. Je ne pouvais le laisser proférer ces injures sans punition. Il y avait trop de gens autour, à commencer par les parents du bébé et les sept ou huit soldats de notre régiment. Trop de gens l'avaient entendu m'insulter! Alors, j'ai réagi. Comme un orgueilleux, un jaloux, un imbécile.

Je l'ai provoqué en duel, à la façon de mon pays, c'est-à-dire par un bon coup de botte dans les grelots d'abord, et l'invitation à venir continuer ça derrière les remparts après.

Je profitai qu'il soit encore plié en quatre dans la boue pour prendre Madeleine par le coude, remonter à grandes enjambées la rue Notre-Dame et rentrer à la maison. La colère tombée, je n'étais pas du tout fier de moi, Madeleine non plus, tu penses. Elle ne m'adressa pas un seul mot de tout le trajet à part cette phrase: «Vous êtes aussi fou que les autres. Vous prenez donc plaisir à tuer les gens, soldat?» Voilà tout ce qu'elle m'a dit. C'était suffisant. Je rentrai chez moi. J'y passai la journée seul, assis à ma table, le livre de monsieur de Montaigne dans les mains, fermé. Je me sentais indigne de l'ouvrir. Chacune de ses pensées appelait la joie, la réflexion, la beauté. Les miennes, vagues rageuses d'une mer déchaînée, se couvraient l'une l'autre dans des clameurs affreuses.

Ne va pas croire que c'était la peur de mourir sous les coups de ce malheureux, oh non! Ni la crainte d'être surpris en plein duel par les autorités et condamné à mort, comme le voulait la coutume. Je n'ai jamais eu peur ni de mourir ni même de souffrir.

Je n'ose pas te dire que je me savais le plus fort. Simplement, je n'ai jamais pensé que je pourrais être blessé par cet homme, encore moins tué. Non. Ma tristesse venait d'une certitude: bientôt, j'allais tuer un homme! Encore. Et cette fois sans grande raison... J'avais beau vouloir me convaincre du contraire, je savais, dans le fond, que ce duel, c'est moi qui l'avais provoqué. Je regardais mes mains et j'y voyais du sang. Le même sang, celui de mes ennemis, celui de mes parents.

Dans quelques heures, on allait sonner à ma porte... les témoins de Valet. On me donnerait rendez-vous, loin des murs de la ville. À l'endroit où j'allais occire ce salopard aussi facilement qu'on égorge une truie.

Saloupard, si! mais innocent tout de même. Ni prêtre fanatique, comme cet énergumène que j'avais balancé par-dessus bord, ni soldat ennemi. Un petit salopard dont le seul crime avait été de s'intéresser à la même femme que moi. Et cette femme le savait, elle qui m'avait déjà condamné.

Je l'avais perdue, aussi sûrement que j'allais tuer cet homme. Je sanglotai comme un enfant, la moindre de mes pensées transformée en larme, jusqu'à ce que je m'endorme là, la tête dans le nid de mes bras, comme un oiseau noyé.

Je me réveillai en pleine nuit. Un grand feu brûlait dans l'âtre. Une Indienne, en costume d'apparat, s'affairait devant le brasier, brassant quelque concoction, dans une marmite d'étain. Migwa. Je voulus lui demander ce qu'elle faisait là, mais une main s'appuya sur mon épaule. J'entendis, ou je devinai Louis me chuchoter:

— Ne parle pas, ne dis pas un mot. Laisse-la finir.

Je tournai la tête et vis que mes amis se tenaient tous derrière moi. Louis, d'abord, et sa Marianne, toute pâle et chancelante, Jacques Thibierge, mon vieux compagnon d'armes, en nouvel habit de bourgeois, Jean-Baptiste Amyot, aussi, revenu de ses trappes, Claude Raynaud. Même le seigneur Jacques était là, calme et sévère. Derrière lui, la petite Anne, encadrée des inséparables frères de sang de son oncle. Et encore derrière eux, des compagnons, des voisins, toute une foule d'amis assemblés, entassés dans ma maison. Seule Madeleine ne s'y trouvait pas. Je voulus me lever, m'excuser, les accueillir... La pression de la main de Louis m'en empêcha.

Je tournai de nouveau la tête vers l'âtre. Migwa se dressait devant moi, le visage peint de rouge, de noir et de blanc, imitant la tête d'un grand oiseau de proie. Ses mains pourpres me tendaient un calice d'or. J'en bus le contenu jusqu'à la lie.

Après, mon enfant, je ne sais pas trop. Je n'ai que des bribes de souvenirs, des fragments de mémoire. Et personne de tous ces gens n'a jamais voulu m'en parler franchement. Je me souviens de quelques images, de quelques bribes de phrases, d'une vague mélopée...

Des mains me hissèrent sur mes pieds, me poussèrent vers la porte. Nous marchâmes longtemps, dans l'obscurité la plus complète... ou était-ce moi l'aveugle?

Leurs mains me guidaient sans hésiter. Elles me poussaient ici, me faisaient hâter le pas là, arrêter, comme aux aguets, ici encore. Nous aboutîmes dans une clairière, illuminée par les flambeaux de soldats et d'Indiens aux costumes bigarrés qui formaient, impassibles, une immense ronde autour de nous.

L'éclair d'une lame! Quelqu'un s'était élancé vers moi, en hurlant! Valet! Je n'avais ni sabre ni épée, qu'une petite dague ébréchée, davantage outil à tout faire qu'arme de combat. Je la lançai, comme j'avais vu si souvent mon ami Thibierge le faire. Je le ratai d'au moins deux têtes.

Valet était sur moi, l'épée dressée, prête à me fendre la poitrine. Je tombai à genoux, tête courbée vers le sol comme si je voulais l'implorer. Mes mains s'enfouirent dans un sable fin comme de la cendre. J'en lançai deux pleines poignées au visage du fourbe! Il hurla de douleur et se mit à faire des moulinets, ici, là, derrière, comme un désespéré. Les flambeaux s'éteignirent. On ne voyait plus que le sable fin, presque fluorescent, les formes noires et immobiles des soldats et des Indiens, les gestes fous de Valet.

Les mains me redressèrent, saisirent les miennes et y mirent une immense épée, tu sais, de celles qu'on doit saisir à deux mains. Elles me poussèrent vers Valet. Il continuait de gesticuler comme un fou. Les porteurs de flambeaux se mirent à scander: «Tue-le, tue-le, tue-le!» Leurs clameurs, de plus en plus fortes, m'envahirent le sang. Je brandis l'épée, la balançai de gauche à droite, en traçant des huit de plus en plus grands devant moi.

Au point de jonction de ces signes d'infini, Valet, épuisé de frapper l'air en vain. Il criait de rage et geignait tout à la fois:

— Chien sale, pouilleux! Mes yeux, à l'aide!

Je le distinguais de mieux en mieux, pantin lumineux et verdâtre sur ce sable allié.

Mon épée s'abat sur la sienne, il n'a plus d'épée... plus d'épée, plus de main! Clameurs, clameurs! Mon glaive revient comme un balancier inexorable, il ne m'appartient plus, c'est celui de la Grande Dame, *la malo mort!*

Le glaive s'immobilise un instant, au zénith de sa course, et c'est l'éclair! Valet reste debout solide sur ses deux pieds, pétrifié. Un instant, tout s'immobilise. Puis le sang se met à gicler de sa gorge tranchée, à jaillir de partout. Ah! j'en ai encore des frissons rien que d'y penser.

Après, longtemps après, le ciel se colora de gris, de rose. J'étais seul, nu dans la prairie, grelottant. Je me levai, péniblement, chaque geste un effort, chaque respiration un couteau dans la gorge. L'herbe jaune, écrasée au sol par le poids des neiges, maintenant blanche de givre.

Un rouge-gorge chantait, tout là-bas, perché au bout d'un long mélèze. Il chantait au *soulei levant*, à la vie nouvelle. Moi, je ne voyais que des arbres noirs et un ciel nu. J'étais épuisé, je pleurais sans larmes.

Je parvins à l'orée de la forêt. Dans un creux, la silhouette d'un homme, assis, jambes croisées, devant un feu presque éteint. Un vieillard emmitouflé dans une couverture de laine angloise. La peau de son visage cuivré avait des crevasses si profondes qu'il ressemblait davantage à une vieille pomme desséchée qu'à un guerrier. Une fente sèche en lieu de bouche, une motte de terre craquelée en place du nez, deux champignons du diable en guise d'oreilles et des yeux, oh! des yeux si noirs qu'ils semblaient attirer toute la lumière autour de nous, si violents que je sus qu'ils avaient aspiré le feu même devant lui.

Je luttais de toutes mes forces pour lui tourner le dos, m'éloigner de cet endroit morbide, mais mon corps ne m'obéissait plus, continuait de marcher vers lui. C'était comme dans un de ces rêves d'enfant, tu sais, tu as beau vouloir t'enfuir, tes jambes ont beau galoper de toutes leurs forces, le corps lui, reste là, trop lourd, paralysé, prisonnier, s'embourbant de plus en plus dans l'horreur.

J'étais captivé par ce regard qui me traversait l'âme. Mon corps s'accroupit, croisa les jambes près de cet homme, sans que je n'y puisse rien. Je craignais d'être devenu fou, je répétais sans cesse: «Montaigne, Montaigne, empêche-moi de sombrer dans ce délire...» et je cherchais en vain dans ma mémoire une de ses belles pensées.

Nous étions soudain plus de vingt, assis autour du feu. Je ne délire pas, Marilou! Je te dis que je m'étais assis devant cette créature au visage d'argile, et que, lorsque je levai les yeux vers lui, je découvris que nous étions une vingtaine d'hommes, nus comme moi, accroupis autour d'un feu de bois presque éteint.

Vingt hommes au même visage que moi, nus, grelottants, vingt Nicolas Personne! Ils étaient tous là: l'ambitieux, le téméraire, le prétentieux qui croyait savoir qui je suis, l'amoureux aussi, oh! bien amoché lui, le guerrier sans reproche, le grand naïf

171

et le fourbe, la victime, l'enfant abandonné, le généreux et le radin.

Je te le dis, tous étaient au rendez-vous, l'assassin
y compris. C'était celui qui avait les mains et les
lèvres rouges de sang, le sourire satisfait aux lèvres!
Prêt à tuer encore et encore! Personne ne l'accusa,
personne ne le condamna. Sans un mot échangé,
par la simple force de la ronde de mains qui prirent
sa gauche, sa droite, il se transforma en ce nouveau
Nicolas, bientôt à la retraite, et qui désirait une vie
simple de mécréant, une vie à battre le blé et à
pétrir le pain plutôt que les gens. Je fus témoin de
tout cela, aussi vrai que je te touche.

Une semaine environ après ce fameux 26 mai de
malheur, je me réveillai dans mon lit, sans savoir
comment je m'y étais rendu. Ma maison, si familière,
si douce à mon cœur après cette aventure, gardait
ses volets clos. Madeleine lisait à mon chevet, à la
lueur d'une de ces vieilles lampes à l'huile de castor
qui emboucanaient davantage qu'elles n'éclairaient.
Je l'observai longtemps, le cœur comblé de la
retrouver près de moi. Je l'avais cru perdue à tout
jamais. Elle leva les yeux sur moi.

Elle s'écria:

— Enfin, Nicolas. Vous êtes éveillé!

Et elle appela tout le monde à la volée. Louis,
Migwa, Anne se précipitèrent à mon chevet. Je ne
pus m'empêcher de sourire de tant d'empresse-
ment... Je voulus leur dire:

— Je ne suis quand même pas moribond.

Mes lèvres refusèrent d'obéir et je me rendormis
aussitôt.

J'eus un second rêve, plus confus encore que le premier. Je me retrouvai derrière les rochers gris de la rive, aux Trois-Rivières, là même où, pour la première fois, j'avais vu ta mère et sa grande amie Catherine.

Le soleil était aussi blanc, aussi écrasant de chaleur que cette journée-là. Je me coulai dans l'eau. J'y filais bientôt à toute allure, sans difficulté. Mon corps ondulait derrière moi, j'étais sous l'eau, je respirais à l'aise. Un vrai poisson!

La surface de l'eau, au-dessus de ma tête, découpait en mille éclats de blanc et de bleu ce que je devinais du ciel. Je fis surface et voilà que je volais! Mes ailes brunes d'aigle pêcheur me portaient sur le coussin d'air chaud sans effort. Là-bas, tout en bas, deux jeunes femmes dormaient nues au soleil, la brune, la blonde. Je grimpai plus haut, plus haut, vers le feu céleste, ardent comme un tison de chêne. Mes yeux s'y brûlèrent, tout devint rouge.

Le soleil se mit à fondre sur moi en gouttelettes chaudes et gluantes! Du sang, rien que du sang, sur les galets, dans le fleuve, sur les forêts. Je me réveillai en hurlant. Mon hurlement devint plus aigu encore: ma cabane de lit, ma paillasse, ma robe de nuit, tout était imbibé de sang. Oui, je te le jure! Je baignais dans le sang.

Je dus perdre connaissance à nouveau. J'ai souvenance qu'on me porta jusqu'à la maison de Louis et qu'on m'y prépara la grande baignoire d'étain avec une eau chaude et odorante. On m'y lava longuement. Je me laissais faire, les paupières trop lourdes pour me soucier de qui pouvait être là, le corps paralysé par la douceur de ces mains, la tendresse de leur toucher.

On m'allongea sur une paillasse, tout près du grand âtre, là où Migwa avait l'habitude de coucher, à même le sol. Mes paupières m'obéirent enfin, j'ouvris les yeux. Louis me regardait, attentif. Il murmura:

— Ne crains rien, petit soldat. C'est terminé maintenant!

Ta grand-tante Marianne s'était levée de sa couche et, malgré les exhortations de Migwa, avait tenu à me préparer un de ces bons bouillons dont elle avait le secret. Je l'avalai d'un trait. Elle savait comment ragaillardir les autres, mais tous ses bouillons ne la guérissaient pas. Elle retourna se coucher en toussant sans arrêt. Une toux à t'arracher les viscères.

Que s'était-il donc passé? Que m'avaient-ils fait? Est-ce que j'avais rêvé tout ça? Peut-on être ainsi frappé de folie subite? Ou Migwa avait-elle voulu me droguer sciemment? Mais pour quelle raison? Et ce sang? Mille questions me venaient aux lèvres. On ne voulut répondre à aucune... Migwa, Madeleine et Anne m'emmitouflèrent dans des couvertures de lin, douces comme les pommettes de tes joues, et m'allongèrent sur une paillasse toute neuve, parfumée à la lavande. Je n'insistai pas et je me rendormis.

Quand je m'éveillai, Louis me raconta qu'on avait cogné à ma porte, le soir de ce fameux 26, sans obtenir de réponse. On entra, on me découvrit endormi à ma table, la tête dans les bras, fiévreux. Voilà tout! Oui, Migwa m'avait soigné, m'avait fait boire de ses tisanes d'herbe du pays; oui, j'avais eu froid, on avait ouvert portes et fenêtres pour faire descendre la fièvre. Mes amis m'avaient soigné de nuit et de jour jusqu'à ce que je m'éveille. On avait cru longtemps que je mourrais. Mais tout le reste, la potion diabolique de Migwa, la prairie, le duel, et le sang... le sang partout, jusque dans mon lit, tout cela c'était délire de malade, songes et fadaises.

Mais Bernard Valet? Ne l'avais-je pas tué, cette nuit-là, dans la prairie? Louis sourit... Non, Valet n'était ni mort ni impatient d'en découdre avec moi. Le poltron s'était enfui le soir même, de peur de m'affronter. Six témoins l'avaient vu profiter d'un convoi de voyageurs redescendant vers les Trois-Rivières.

Je n'avais aucune raison de douter des paroles de Louis. Je le crus donc, sans chercher à comprendre plus loin la nature de ces drôles de rêves. Tu comprends, toi?

Un soir, deux soldats de la compagnie vinrent m'annoncer qu'on avait trouvé Valet, la gorge tranchée, dans une méchante cabane de Cap-de-la-Madeleine, tout près des Trois-Rivières. Ses poings serrés sur des touffes de cheveux noirs comme le jais. Il y avait du sang partout, comme dans mes rêves.

Les soldats traversèrent ensuite chez Louis. Que lui dirent-ils, je ne le sais pas non plus mais, à partir de ce moment-là, Louis devint taciturne, maussade, pire... muet!

Je sais maintenant que c'est la disparition subite de ses frères de sang qui avait provoqué ce grand chagrin. Imagine Valet s'enfuyant aux Trois-Rivières, poursuivi par nos amis. Ces touffes de cheveux noirs, crois-tu que c'étaient les leurs? Avaient-ils ensuite été assassinés, à leur tour, par les compagnons de Valet? Non! Je crois plutôt qu'ils avaient choisi de disparaître, par peur de représailles! Louis avait perdu ses frères, pour moi!

Ma chérie, je suis assez vieux pour savoir une chose, une seule, c'est que le hasard, ça n'existe pas! Du moins pas comme on se l'imagine. Il ne peut exister sans la volonté des êtres et de la nature, tout comme nous, pauvres créatures, ne pourrions pas exister sans lui. La réalité, si une telle chose existe, comprend les deux à la fois; tout se parle, tout s'entend, il n'y a que nous qui nous enfermons volontairement dans nos tours de Babel.

Mais qu'importe maintenant, la réalité! Je la découvrirai de l'autre côté de la vie! Ou je m'en moquerai éperdument. La mort, finalement, c'est peut-être le meilleur moyen que la nature ait trouvé pour nous délester du fardeau de nos souvenirs. Trop lourds, les souvenirs, trop lourds!

Ces villages, ces amis, ces autres Nicolas Personne qui peuplent ma pauvre tête sont-ils là pour m'aider à mourir, tout simplement? Vont-ils disparaître avec moi? Sommes-nous les feuilles d'un arbre, son habit pour une saison ou des tourbillons de vent qui naissent et disparaissent? Marilou, ma fille, j'ai peur! Viens près de moi, enlace-moi.

XII

Ah! L'été de mes quarante ans. Un été aux couleurs du reste de l'histoire que je veux te livrer, tout en contrastes de joies et de douleurs. Le sublime et le médiocre s'y côtoieront à l'image du feu des étés et du froid glacial des hivers de ce pays de démesure, choisi par des fanatiques de la Vierge Marie pour mieux s'exalter durant les brefs jours de beau temps et, ensuite, souffrir tout l'hiver durant.

L'été 1715 commença pour moi le 17 mai, jour de mon anniversaire et de mes fiançailles. Tous nos amis étaient venus pour la fête, dans la maison de Jacques Leber, rue Saint-Jacques, autant pour se moquer du nouveau vieillard de quarante ans que j'étais devenu et me taquiner sur ma jeune «conquête», comme ils disaient, que pour visiter la grande maison de notre ami, le seigneur de Senneville, qui ouvrait rarement ses portes à la populace.

Tu sais comme on s'amuse à de telles fêtes. Je te passe un papier que c'en fut une superbe. Le bon vin et la bière coulaient à flot, les musiciens étaient endiablés, les quadrilles, les bourrées, les gigues, les farandoles, les rigodons, les tarentelles se succédaient à un rythme aussi fou que les blagues paillardes. Nous menions un tel train d'enfer que la prieure du couvent voisin déménagea les paillasses de ses religieuses dans l'aile opposée et les força à dormir la tête sous l'oreiller et les mains sur les couvertures, pour ne pas tomber victimes du Malin.

Tard dans la nuit, guillerets comme il se doit, nous braillions de vieilles chansons à boire et nous nous esclaffions à la moindre blague quand notre hôte décida de prendre les choses en main. Il se dressa, droit comme un sapin, et fixa de son regard exorbité les solives du plafond comme s'il voulait s'y hisser par la seule force de sa volonté.

Je connaissais ce regard-là, il n'augurait rien de bon. C'était celui de ses soûleries de jeunesse, dans le vieux pays, celui de ses orgueils aveugles, quand il voulait partir en guerre contre tous les Anglois à la fois. Avant que j'aie pu me dégager des bras de Madeleine, Leber avait sauté sur une table et, de sa voix de tonnerre, s'était mis à nous haranguer:

— Ah! Nous avons du plaisir en cette nuit, mais demain, dans quelques minutes, vous rappellerez-vous qu'on voudra vous en voir fêter une autre: la plus absurde et la plus terrible de nos fêtes, encouragée par notre benêt de gouverneur. Laquelle? L'anniversaire de la signature du traité d'Utrecht, celui qui a donné aux Anglois nos avant-postes les plus importants: la baie d'Hudson, Terre-Neuve, l'Acadie elle-même! Ce traité maudit. C'est la paix pour l'Europe, oui, mais pour nous c'est le début de la fin. Et ce fat voudrait que nous célébrions notre défaite dès demain, vous rendez-vous compte?!!!

La grande salle de Leber était remplie à craquer de convives et je mis plusieurs minutes à me frayer un chemin jusqu'à la table où il pérorait toujours, dans un silence, ma foi, presque respectueux. C'est qu'il n'était pas le seul, notre seigneur, à redouter les Anglois plus que le diable. Je cherchai Louis du regard... Dans quel état, il s'était mis! Mon vieux conteur supportait si mal la disparition de ses frères de sang qu'il buvait sans arrêt. À demi assis, à demi couché sur une table du fond de la salle, c'était peine de le voir tituber de la tête en écoutant Leber échauffer nos invités. Il aurait mieux fait de rester à la maison, tenir compagnie à ta grand-tante Marianne dont l'état se détériorait de plus en plus.

Mon attention revint à Leber qui concluait son discours en clamant:

— Que tous ceux qui croient à l'avenir de la Nouvelle-France me suivent! Allons dire au gouverneur en personne ce que nous pensons vraiment du traité d'Utrecht. Et ce que nous pensons de sa vénérable personne, tant qu'à y être!

Une émeute! En pleines fiançailles d'un soldat responsable, en principe, du maintien de l'ordre! Et initiée par un des plus grands notables de la ville! Déjà, la petite troupe menée par Leber quittait la maison, laissant Louis seul, affalé sur sa table, tout au bout de la pièce jonchée de débris de bouteilles et de victuailles. Madeleine et moi soutînmes tant bien que mal mon grand ami et le ramenâmes

jusqu'à la maison... Quelle drôle de fin de fiançailles!

Sitôt Louis installé dans sa cabane, je courus vers
la résidence du gouverneur, avec la ferme intention
de défendre Leber contre son exaltation. Dieu
merci, ce ne fut pas nécessaire. Mes révoltés s'étaient
retrouvés devant une maison déserte; le gouverneur
était parti la veille pour Québec. Et mon bon vieux
sergent Pierre Noël le Go, de garde devant la grille,
avait, avec sa bonhomie habituelle, réussi à convaincre Leber de rentrer calmement chez lui et de
préparer une solide pétition que «toutes ces bonnes
gens, et tous leurs amis, pourraient signer et qui
aurait ainsi beaucoup plus de poids».

Grognon mais bon prince, notre seigneur Leber
avait accepté et entraîné sa troupe chez le cabaretier
Saint-Jean, là où les amis de ce pauvre Valet, les soldats Petit, Léveillé, Jolibois et Vendard, se firent
arrêter, quelques mois plus tard, pour avoir fabriqué
une fausse monnaie de carte qui faisait honte à
l'œuvre de monsieur Lacerte.

Je restai un brin à faire la causette à Pierre Noël,
histoire de lui montrer ma reconnaissance de ne pas
avoir sonné l'alarme et d'avoir ménagé mon ami.

— Personne n'en saura rien! Eux les premiers, ils
ne s'en rappelleront plus quand ils auront cuvé leur
vin! Tu sais, le gouverneur, on dit ici qu'il est des-
cendu à Québec pour prendre connaissance d'un
courrier secret du ministère de la Marine. Il paraît
que le roy est mourant!

Mourant. Le mot me fit prendre conscience de la
détresse de Louis et de Marianne. Je ressentis sou-

dain le besoin d'agir, de forcer mes amis à guérir à leur tour, comme eux m'avaient guéri. Je me sentais responsable de leurs malheurs. Si seulement Marianne prenait du mieux, Louis redeviendrait vite lui-même.

Qu'avais-je fait, ces derniers mois, pour aider Louis et Marianne? Rien, c'est vrai. J'avais été si obsédé par cette maison à aménager, par Madeleine, par la retraite à venir que je n'avais pensé tout ce temps qu'à une chose: moi! *Io, io e io!* Comme si tout l'univers devait tourner autour de ma petite personne.

Au début de la maladie de Marianne, les filles s'étaient débrouillées seules, mais les semaines passèrent sans qu'elle ne prenne du mieux et elles durent délaisser la boulangerie pour s'occuper d'elle. Eh bien, ça ne continuerait pas ainsi! Foi de Personne, la maison allait embaumer le bon pain comme avant! Et tous les jours, jusqu'à ce que mes amis redeviennent mieux!

Je me précipitai chez eux. La maison tout entière était plongée dans l'obscurité. Cela sentait le camphre, le cèdre et le sucre d'érable. Migwa veillait devant l'âtre. À l'arrivée de Madeleine et de sa jeune sœur, elle avait insisté pour quitter «notre» ancienne chambre et dormir à nouveau à même le sol de terre battue de la cuisine. Elle me prépara une tisane, bourra ma pipe de son herbe de paix et nous nous accroupîmes ensemble, côte à côte, près du feu. Migwa ma sœur, ma complice. L'âme de ce pays qui m'avait adopté!

— Que se passe-t-il, Migwa, dis-moi... Tout est détraqué! Marianne est malade, Louis se tue à l'eau-de-vie, et Leber agit comme un écervelé! Que se passe-t-il?

Elle me sourit, prit mes mains dans les siennes, et me parla comme si elle lisait dans mes paumes, de sa belle voix profonde comme source d'eau vive.

Elle me murmura une histoire de vent et de fleurs, de celles qui éblouissent le soleil et de celles qui ne le trouvent jamais, de celles qui s'inquiètent tous les jours du moment où elles perdront un à un leurs pétales.

Deux heures avant le lever du jour, Migwa alluma les fours et je mis la main à la pâte, pour la première fois depuis des semaines. Quand Madeleine et Anne descendirent, toutes ébouriffées de sommeil, j'avais déjà une première fournée de faite.

Je mis autant de cœur à réaliser mon nouveau projet que j'avais consacré d'énergie à rafistoler ma première vraie demeure. Il me semblait que plus la maison sentirait le pain chaud, plus le bonheur nous reviendrait. Et puis, la présence silencieuse de Migwa, les sourires d'Anne, la douceur, la tendresse et la complicité de Madeleine rendaient ma mission facile.

Le septième soir, Louis se leva du tabouret de son atelier où il passait le plus clair de son temps à contempler le vide et vint vers nous d'un pas lourd. Il saisit son fauteuil, et le plaça au centre, devant l'âtre. Anne s'approcha, lui prit la main, il l'assit sur ses genoux et brisa enfin son silence! Oh! Sa première nouvelle histoire n'était ni longue ni gaie, mais tournée comme seul il savait le faire. Un hymne à l'amour! Celle de deux jeunes guerriers disparus, un jour, pour venger un ami.

La maison revivait. Du fond de sa cabane de cèdre, plus blanche que la neige de janvier, le sourire de Marianne. Et ça sentait bon le pain, Marilou, ça sentait bon le pain.

* * *

Ma fille dort. Pendant que je rêvassais à Louis et Marianne, je l'entendais bourrer les feux, laver, changer Madeleine, mettre de l'ordre dans la maison. Plus tard, elle prit sa paillasse et l'étendit sur le sol, exactement entre Madeleine et moi. Voilà Marilou, ma fille, toute à son devoir et à son amour, attentive jusqu'à notre fin, sans impatience.

Je ne lui ai pas parlé, mon esprit était ailleurs, perdu dans mes pensées. Mais des gestes comme ça, je sais que c'est aimer. J'en suis ému aux larmes, moi la vieille peau de bouc! Ah! petite, je sais de qui tu es, d'où vient ton âme. Je te le dirai bientôt, au crépuscule, juste avant de quitter ce vieux corps tout ridé, plus sillonné de crevasses et de rigoles que les coteaux du mont Royal au printemps.

Cette nuit, je me demande si mes aveux t'apprendront vraiment quelque chose. Oh! tu n'en es pas encore consciente, mais toutes ces vérités sont déjà en toi; elles feront surface une à une, au fil des expériences de ta vie, aussi sûrement que poussent les pierres, dans nos jardins, à chaque printemps.

Ces historiettes de ma pauvre vie... un pont de mots suspendus au-dessus du chaos. Nos âmes y ont rendez-vous, au beau milieu. Nous y parlerons sans artifices. Là, je pourrai te dire: «Marilou, ma fille, je me fous de Dieu et du diable, du paradis, de l'enfer et du néant. Tout cela n'existe pas. Il n'y a que la vie, cette grande force d'amour qui habite en nous. Tu es capable de vivre à l'intérieur de toi, une vie si intense qu'elle permettra de transformer ta vie et même de l'oublier, comme je le ferai bientôt, quand tu auras vécu tout ce que tu avais à vivre.»

* * *

Allez, laisse cette corvée. Nous n'avons plus beaucoup de temps. Je ne veux pas que tu t'alarmes mais, cette nuit, Madeleine s'est mise à haleter. Elle courait après son souffle, pendant deux, trois minutes, puis rien!... Rien! Elle ne respirait plus! Trente, quarante secondes de temps à faire hurler l'âme, à maudire Dieu et diable, elle ne respirait pas!

Et puis, les halètements recommençaient, la vie triomphait et qu'importe s'ils étaient un peu plus urgents, un peu plus saccadés que la fois précédente.

Je les connais, ces essoufflements-là! J'ai vu des soldats aspirer l'air comme ça, sur les champs de bataille, avant de mourir.

Pleure, pleure tout ton soûl... Fais-le ici, avec moi, cela vaut mieux. Ta mère, elle, n'a pas besoin de nos pleurs. Si elle pense que nous avons trop de peine à l'imaginer morte, elle va tout faire pour prolonger son agonie. Il faut que nous la laissions aller, il faut lui sourire. Elle a le droit de se reposer!

Laissons-la dormir, dans son lit parfumé de branches de cèdre. Ça lui rappelle sûrement la cabane des Rouensa, aux Trois-Rivières, ces rameaux partout. N'oublie pas d'en faire griller un peu, sur le haut du poêle, ça sent tellement bon! Allez, écoute-moi maintenant.

C'était deux, trois semaines après nos fiançailles, je terminais à peine ma dernière fournée quand on cogna à la porte. Trois coups francs! Louis, qui rangeait ses outils, cria: «Entrez!» de sa plus belle voix. «Pas si fort, mon oncle, lui lança Anne, vous allez les effrayer.» Louis partit à rire! Chaque parole d'Anne le mettait en joie. Il cria encore: «Entrez» une, deux fois... et, chaque fois, on se contentait de cogner à nouveau trois coups.

De guerre lasse, il s'approcha de la porte et l'ouvrit toute grande, prêt à traiter son visiteur de bedeau mais, avant qu'il ait pu placer un mot, voilà toute la tribu des Lacerte et des Rouensa qui s'engouffre en hurlant dans la maison, monsieur Guillaume en tête, encadré de sa femme Marguerite et de Kiagonan Rouensa. Tous se sautèrent au cou, s'embrassèrent et s'enlacèrent à qui mieux mieux.

Ah! le plaisir de retrouver ses amis! La maison ressemblait davantage à un essaim d'abeilles en liesse qu'à la digne demeure d'un marchand de Montréal. Il y avait des enfants partout! Louise et Marie-Agathe, ces petites pestes de jumelles, Marguerite qui promettait de devenir aussi belle qu'Anne, Françoise, la romantique et Barbe, ma préférée, aussi timide que moi, et qui avait onze ans. Elles couraient, criaient de joie, questionnaient sans arrêt Madeleine et Anne sur leur vie à Montréal. Les adultes n'étaient pas plus sages, tout le monde parlait en même temps.

Ta grand-tante Marianne, qui ne quittait guère son lit, exigea illico qu'on l'installe dans sa berceuse et que sa sœur Marguerite s'assoie tout près d'elle. Les deux sœurs se ressemblaient de façon frappante, même si l'une était blanche comme neige, cernée de mauve chagrin, et l'autre rougeaude, épanouie.

Je ne pouvais détacher mes yeux de ce portrait. Pourquoi ces deux masques d'un même visage, l'un de plénitude, l'autre de douleur?

Perdu dans mes pensées, je me tenais tranquille, fidèle à mon habitude. Surtout que ton grand-père, le Guillaume, feignait de m'ignorer, comme s'il m'en voulait de lui voler sa fille. Mais le *fripou* me taquinait, va! Tu sais ce qu'il fit, à la fin du repas du midi, alors que je m'apprêtais à quitter la table et la maison pour de bon tant je le sentais froid à mon égard? Il demanda le silence, comme Dieu commande le tonnerre! Que le canard sur le poêle qui osa continuer son sifflement! J'eus presque envie d'aller l'enlever de là, de peur que le vieux ne se fâche! Il m'impressionnait, ce bonhomme!

— Nicolas Personne, me lança-t-il, levez-vous!

Je me levai.

— Comme ça, vous avez osé demander la main de ma fille, et à Louis qui ne peut rien vous refuser plutôt qu'à moi?

Je bredouillai timidement quelque chose. Je devais être ridicule à voir, moi, le presque géant, à trembler comme un jouvenceau devant ce vieux lutin rabougri!

— Eh bien, éclata-t-il, grand bien vous en fasse!... Allez, venez que je vous embrasse, mon gendre!

Et il m'enlaça comme un fils retrouvé! Ses fils, tes oncles Jean-Charles et Guillaume, traînèrent une lourde malle jusqu'à la table. Elle était bourrée de vêtements fins, d'armes, et, comme nous le découvrîmes tard ce soir-là, de plus de cent écus d'or! *Uno fourtuno!*

— Voilà, ma fille, ta part d'héritage... et ta dot. Faites-la fructifier!

L'après-midi et la journée suivante se passèrent à installer tout ce beau monde-là. Monsieur et madame Lacerte restèrent, bien sûr, chez Louis. Kiagonan Rouensa voulut partager le sol de la cuisine avec Migwa. Et pas question de la faire changer d'idée. C'était cela ou camper seule dans les bois! Moi, je prêtai ma maison au reste de la famille, dont Madeleine et Catherine s'occuperaient, et acceptai l'invitation d'Alavoine de crécher quelque temps dans sa nouvelle maison, rue Saint-Claude. Quant à Jean-Charles, Guillaume et aux frères de Catherine, ils choisirent de s'installer loin de la ville, dans cette concession de la Pointe-aux-Trembles que nous étions allés visiter ensemble.

Quelques jours plus tard, on me désigna pour accompagner mon major, Le Verrier de Rousson, convoqué à Québec par le gouverneur de Nouvelle-France, pour discuter de la situation dans les pays-d'en-haut.

Nous ne revînmes qu'à la fin du mois. Louis m'accueillit le premier, me serra dans ses bras, et m'annonça la mort de Marianne. Cette fois, les médicaments de madame Rouensa n'avaient rien pu faire. Marianne nous avait quittés, quatre jours après l'arrivée de sa sœur, en silence, dans la nuit. Je pleurai longtemps dans les bras de mon vieil ami; et c'est lui, le plus peiné, qui me consola, comme un père console son fils.

Ce soir-là, nous mangeâmes en silence, Louis, Madeleine, Anne, monsieur et madame Lacerte, madame Rouensa. Migwa servit puis retourna dans son coin de cuisine, s'y assit en tailleur, et se perdit en contemplation devant le feu jusqu'à ce que madame Rouensa la rejoigne. Alors, toutes deux commencèrent un long chuchotement, dans un dialecte qui ne se parlait pas chez les Indiens de Ville-Marie. De madame Rouensa, cela n'était pas étonnant, mais où diable Migwa avait-elle pu apprendre ça?

Tu sais comment, parfois, il suffit de quelques jours d'éloignement pour découvrir qu'un monde, pourtant familier, est devenu tout autre. Dans le courant du temps, emporté par les flots, on se rend compte que d'autres nageurs nous ont devancés... ou ont été distancés.

Je ne m'étais absenté que quelques semaines, mais la mort de Marianne avait tout modifié, oh! presque imperceptiblement. Même les murs, les meubles de la maison avaient l'air de copies des originaux. Tiens, je vais te dire, tu te rappelles quand tu m'as vu en uniforme, pour la première fois, pour je ne sais plus quelle occasion protocolaire! Tu étais si impressionnée que tu n'avais pas voulu que je te prennes dans mes bras. Tu ne me reconnaissais plus. Tu avais peur de moi!

Eh bien! je ressentais une peur semblable à la tienne. La mort de Marianne avait tout basculé sur son passage. Elle avait habillé mes amis d'un curieux uniforme qui les rendait différents, pas tout à fait étrangers, mais certainement étranges. Louis s'enfargeait dans ses histoires, perdait le fil et, du coin de l'œil, allait le chercher là-bas, juste à l'angle de la table, là où elle s'assoyait jadis, avant sa maladie. Alors, il fermait les yeux, s'éclaircissait la gorge et continuait à raconter comme ça, deux trois minutes, à l'aveuglette, sans se soucier d'être clair dans son propos.

Et quelles histoires bizarres, maintenant. Pas de potins de la ville, pas d'anecdotes sur nos marchands ou nos mécréants, non! Des histoires hors du temps, des histoires qui ne nous étaient plus destinées; c'est à elle et à ses frères de sang disparus qu'il les racontait.

Nous, nous étions ses faire-valoir. Anne ne le quittait plus, l'aidait en tout, et ça non plus je ne le comprenais pas. Cette gamine de seize ans, belle comme un cœur, qui avait à sa traîne tous les soupirants de Ville-Marie, refusait désormais de les voir. Elle ne sortait plus, sauf pour la messe du dimanche, et encore! Elle préférait passer ses journées à ses côtés.

Tes grands-parents, Guillaume et Marguerite, je ne sais pas trop quoi en dire. Hors de leur décor naturel des Trois-Rivières, libérés des travaux de la ferme et des enfants, ils semblaient s'être repliés sur eux-mêmes. Madame Lacerte aidait à l'ordinaire, mais du bout des doigts; et monsieur Guillaume battait inlassablement les cartes de son tarot, les coupait en cinq paquets, en retournait trois ou sept et se perdait en contemplation devant leurs images.

Et puis, il y avait Migwa. Oh! comment te dire. Les yeux plus noirs encore qu'avant, nuit d'automne sans lune, sans étoiles. Si noirs qu'ils ne me parlaient plus, qu'ils ne me regardaient plus, portes d'entrée vers la nuit, le néant.

Migwa redevenue Migouanounjan, du bout de ses tresses ornées de perles multicolores, à celui de ses pieds nus, sur le sol battu de la cuisine. Elle ne nous parlait plus que pour l'essentiel. Ranimer les feux, ranger, frotter, laver, cuisiner, aller chercher l'eau au puits derrière, pieds nus sur la terre givrée de la fin août, elle accomplissait tous ces rituels de silence.

À la nuit, après ses longs palabres avec Kiagonan Rouensa, elle se retirait près de l'âtre, s'assoyait en tailleur, si immobile qu'un seul geste de sa part m'eût semblé grand événement. Elle n'était plus ici. Plus avec nous. Il aurait fallu que je la regarde sans fléchir, pour aller retrouver son âme Dieu sait où!

J'espaçai bientôt mes visites à la maison de Louis. Je n'y avais plus ma place; elle se trouvait désormais aux côtés de Madeleine et de Catherine.

Madeleine s'occupait toute la journée de ses jeunes sœurs, Catherine l'assistait en tout. J'étais amoureux fou de l'une, et tous deux nous aimions Catherine, notre amie, notre sœur, notre complice. Il suffisait que je rentre là pour être assailli d'enfants et de bonheur.

Je passai donc le plus clair de mes soirées avec elles, tout cet automne et tout cet hiver, ne rentrant chez Charles Alavoine qu'à minuit passé, quand toutes les petites Lacerte dormaient dur, collées les

unes sur les autres dans leurs cabanes comme une
nichée d'oiseaux frileux.

Les jours heureux passent trop vite. Il ne m'en
reste que la couleur des éclats de rire des enfants, la
tendresse, des longs moments d'harmonie parfaite
entre Madeleine, Catherine et moi. À part ça, rien,
sauf le deuil de Louis et, peut-être, l'annonce,
par un courrier de Québec, de la mort du vieux
Louis XIV, à soixante-dix-sept ans. Sans doute, dans
le vieux pays le pleura-t-on, chez les nobles et chez
les mécréants. Mais la Nouvelle-France est si loin de
l'ancienne...

Nos souvenirs du vieux pays s'estompaient. Oh!
j'aurais pu te refaire, à main levée, le dessin du château de Hautefort, de ses coupoles d'ardoise grise et
même des armes de Duguesclin et de Bertrand de
Born qui ornent le pavé de la chapelle du château.

Mais Versailles, Paris, la Champagne même où
j'avais servi tant d'années s'estompaient dans ma
mémoire. À vrai dire, je ne m'en souciais point.
Comme la plupart des habitants de cette terre, je
préférais rêver à l'avenir que pleurer sur le passé.

Ceux qui parlaient du roy discutaient davantage
de son successeur que de son règne. Le nouveau roy,
âgé de cinq ans à peine, allait-il nous être plus
favorable? Nous enverrait-il enfin des centaines, des
milliers d'engagés pour venir peupler et exploiter
ses immenses territoires? Nous laisserait-il sécher
au soleil, comme l'autre, vivoter, observer les
Anglois conquérir le territoire de la Louisiane à
Michillimakinac et au-delà par la seule force du
nombre? Jusqu'à ce que le cœur nous éclate de
froidure!

Tu la connais la réponse, hein petite! Loin des yeux, loin du cœur! C'est vrai des deux bords de l'Atlantique. Et puis oh! pas vraiment. Si la France était en péril, tu sais que nous ferions tout pour aller la secourir! Mais, pour le roy et sa cour, la Nouvelle-France n'est qu'une colonie! Un bout de terre inexploitable. Tu vois, ni Louis XIV ni Louis XV n'ont foulé le sol de Nouvelle-France. Ils n'y sont jamais venus, ne fût-ce que quelques jours. Ils n'ont pas connu ce pays, ils n'y ont pas goûté, ils ne l'imaginent même pas! Pour eux, la grandeur suprême, la plus belle expression du génie humain, c'est Versailles!

Versailles! Tu penserais peut-être comme eux, si tu le voyais, leur palais! C'est beau, c'est grandiose, c'est somptueux! Mais c'est aussi le contraire de la liberté, l'espace contraint! Ah! s'il venait ici, Louis XV, même un seule journée! Il comprendrait ce que c'est, la vraie grandeur! Et il commanderait à tous les navires disponibles de nous amener des dizaines, des milliers de bons mécréants comme nous!

Pourquoi, dis-moi, pourquoi se bat-on encore dans les pays-d'en-haut? Pourquoi mes deux fils sont-ils là-bas, au péril de leurs vies? Crois-tu vraiment que ça en vaille la peine?

Ouvre grandes tes oreilles, ma fille. Notre Nouvelle-France, je sais ce qu'elle sera dans cent ans! Une terre angloise! Angloise! Mais, que peut-on y faire! Nous ne serons plus ici, ni toi ni moi, alors à quoi bon! Le Roy-Soleil est mort, vive le Roy-Soleil, même s'il ne brillait pas jusqu'ici, et que son successeur brille encore moins! Comme la mer est grande et que les pleurs de la cour ne s'entendaient pas jusqu'ici, nous ne pleurâmes pas ce vieux roy indifférent.

Nous avions fui ses corvées, ses tailles, sa gabelle, son franc fief et le reste, et nous ne nous en sentions pas mal, merci! Ici, et depuis longtemps, le roy des impôts était mort depuis belle lurette! Ou plutôt, nos bonnes gens avaient oublié qu'il existait, lui et sa noblesse arrogante. Arrogante comme nous l'avions été, nous, soldats du roy, en débarquant à Québec, sous les plaisanteries des Québécois de la basse-ville.

Dans le vieux pays, sur un simple caprice, le moindre viconteux peut condamner un honnête homme aux galères. Ici, même monsieur de Vaudreuil sait que, sans respect des autres, on gèle vite en Canada, l'hiver. Moi, je préfère qu'on m'appelle «Personne» plutôt que «de La Personne», et qu'on me respecte pour ce que je suis, plutôt que de m'identifier à cette noblesse pourrie!

Cette mort du roy, comme toutes les autres nouvelles qui nous parvenaient du vieux pays, nous évitions de trop en parler longtemps, histoire de faire durer le plaisir au moins une partie de l'hiver. Vaudreuil serait-il rappellé? Aurions-nous un nouveau ministre de la Marine? Voilà qui promettait des soirées intéressantes.

Heureusement que nous avions réservé ces discussions-là à plus tard parce que, cette année-là, l'hiver nous tomba dessus dès la fin d'octobre et ne nous lâcha plus. L'hiver. Le vrai, le long. Celui qui ne veut plus partir. Un hiver à dormir, enfouis sous la neige, au chaud dans nos cabanes enfumées. Il faisait si mauvais que la langue de commère la plus grasse ne s'aventurait pas en dehors de son palais.

Moi, je passais des jours de suite chez Madeleine et Catherine, à m'amuser avec les enfants à toutes sortes de jeux.

Elles ne se lassaient pas, avant le coucher, de réclamer une histoire, et je m'exécutais, un peu gêné tout de même de la présence narquoise de mes deux grandes amies. Moi qui n'étais jamais monté là-haut, vers les grands lacs, chez les Miamis, les Outagamis, les Illinois, les Sioux, je leur racontais tout ce que j'avais entendu d'histoires merveilleuses et leurs yeux pétillaient autant que les tiens quand tu reçois des nouvelles de ton fiancé.

Chut!... Tu entends?... Non, ne t'affole pas. Reste. Elle ne souffre pas, ce n'est que son corps qui a peine à respirer. Son esprit, lui, est ailleurs, dans son propre univers, avec ses parents, avec notre chère Catherine, avec nos autres enfants.

Cette nuit, quand tu t'es assoupie, je me suis levé... Je me fatigue vite, mais j'ai encore le pied ferme, tu sais. Je me suis approché de son lit. Je me suis penché, je l'ai embrassé. Je lui ai redit qu'elle pouvait partir, nous quitter sans crainte, que Hypolite et Charles se débrouillaient fort bien, là-bas, dans les pays-d'en-haut, que toi, tu avais hâte d'aller rejoindre ton fiancé dans l'île Royale. Après trois, quatre minutes, son souffle est redevenu constant; elle s'est endormie, en souriant.

Voilà. Maintenant, j'aimerais que tu fasses la même chose. Prends-lui la main, et, de ta voix la plus heureuse, dis-lui tout ce qu'elle signifie pour toi. Dis comme tu as déjà dit, tu sais, à son dernier accouchement, quand elle a failli mourir avec le bébé.

Laisse parler ton cœur. Dis-lui aussi qu'elle peut partir, qu'elle a accompli ici-bas ce qu'il y avait à accomplir. Ce sera l'une de ses dernières joies. Va, ma douce, va.

XIII

Je voulais tout lui expliquer mais le temps passe si vite. Pourquoi faire tant de détours? Pourquoi ne pas lui dire maintenant, avant que Madeleine nous quitte? À quoi cela servirait-il donc? À rien, non à rien.

Hier soir, ma fille aux yeux noirs et aux cheveux noirs s'est penchée sur la chevelure blanche de sa mère. Elle a mieux dit que je ne saurais jamais dire. Elle aime mieux que je ne saurai jamais aimer.

Je continuerai mon histoire jusqu'au bout, et je mourrai à mon tour, libéré de ce lourd secret qui me retient à la vie mieux qu'une ancre au fond de l'eau.

Mais, de mes craintes pour l'avenir, pas un mot! Pourquoi lui faire peur avec ces visions d'effroi? Et qui me prouve que l'avenir que j'ai entrevu, dans mes songes, est le véritable? Qu'il y en ait un seul? Plus j'explore ces contrées, dans ma tête, plus j'y découvre d'autres vies à vivre, plus mes rêves deviennent réels, moins ces doutes ont d'importance. Est-ce cela la Foi dont parlent nos mystiques? Faut-il donc faire semblant de croire jusqu'à ce que, un bon matin, on y croit vraiment? «Quelle vérité que ces montagnes bornent, qui est mensonge au monde qui se tient au-delà.» Ma vérité, captive entre les parois de mon cerveau, est-elle fausseté ailleurs? Ces terres angloises... l'avenir probable?

* * *

De soldat, Jacques Thibierge était devenu un autre soldé de l'armée quelques semaines plus tôt et, ma foi, la vie civile lui réussissait! Depuis qu'on connaissait ses intentions de suivre l'exemple de son père et de demeurer en Canada, me raconta-t-il en chemin vers la maison de Leber, les propositions galantes ne manquaient pas. Mais le beau Thibierge avait déjà fait son choix. Il vint nous la présenter un bon matin de novembre.

Elle s'appelait Nicole Gautier de la Vérandrie. Elle était la fille du chevalier René, seigneur de Varennes. Elle avait dix-neuf ans, les yeux bruns de la biche, un sourire à te décrocher les nuages, les cheveux fauves, la peau de miel, une taille de guêpe et la croupe pleine lune.

Nous la trouvions si belle que c'est à peine si nous avons écouté le Jacques nous dire quelle brillante carrière de tanneur il ferait si nous continuions de gagner la guerre des embuscades contre les Anglois.

Nous en étions au quinzième verre de l'amitié quand on vint me prévenir que Jacques Leber désirait me voir. Je laissai donc mes amis continuer sans moi et me hâtai vers la maison du sieur Leber. La porte y était verrouillée. Je cognai, de toutes mes forces, sachant bien que Jacques Bouchard, son domestique, était dur d'oreilles. Il m'ouvrit enfin et, sans même prendre le temps de me saluer, il me cria d'aller rejoindre son maître au domicile du sieur Étienne de la Morandière, commissaire du roy, son procureur au siège de l'amirauté du Havre de Grâce.

Détestable ce Bouchard! Sa voix n'était pas plus agréable que son caractère, aussi aiguë que celle d'une vieille truie saillie par un de Saint-Sulpice.

Les langues sales avaient beau jeu de dire qu'il avait perdu plus que son scalp, aux mains des Tuscaroras, là-bas, près du fort Albany, dans je ne sais quelle échauffourée commandée par le fameux Antoine de Lamothe, sieur de Cadillac. Celui-là, me disait souvent Louis, c'est le plus grand usurpateur de titre de noblesse de la colonie!

Je remontai la rue Saint-Jacques jusqu'à son extrémité, la pluie froide se mit à tomber raide et drue. Des glaçons! Je courus tout le long du sentier Saint-Louis jusqu'à la maison d'Étienne de la Morandière, construite à côté du magasin du roy.

J'arrivai délavé, transi. Les deux soldats qui montaient la garde m'annoncèrent sans tarder. Je pénétrai dans une grande pièce obscure, au plancher de bois ciré, remplie de meubles du vieux pays, honteux de faire de grandes flaques d'eau à chaque pas. Deux servantes, habillées comme des nonnettes, prirent ma cape et mes chausses, et m'offrirent une couverture de laine et un bon fauteuil, tout près du poêle.

Je m'y installai avec plaisir. Une vraie maison de nobles, cette résidence! Je croyais me retrouver en Champagne, dans la gentilhommière de mon cousin Frank de la Personne, dit Lerougeau à cause de sa toison, plus flamboyante encore que la mienne.

Louis et Jacques Leber sortirent d'une porte basse à gauche de la grande cheminée. Et Amyot? «Absent. Retenu quelque part du côté d'Orange», me répondit Leber. Mais la faillite temporaire de la monnaie de cartes et l'arrivée des Lacerte, ajouta-t-il, l'avaient convaincu qu'il fallait mettre notre projet en marche sans plus attendre. Le réseau de Jean-Baptiste Amyot était déjà en place; il suffisait de l'alimenter de notre nouvelle marchandise d'échange.

Selon Leber, le régent du petit Louis XV allait rembourser à un rythme si lent que notre gouverneur ne pourrait s'empêcher d'émettre de nouvelles monnaies de cartes. Si cette émission tardait trop, nous souligna-t-il, la monnaie existante deviendrait si usée qu'on reconnaîtrait la nôtre sans effort.

Il avait donc entamé des négociations pour louer, dès maintenant, une immense maison de trois étages, avec une grande cave chauffée aux deux extrémités, l'idéal pour mon auberge.

Leber s'engageait à me signer un papier me permettant d'établir mon auberge dans ces lieux. Si, après deux ans, le bâtiment me plaisait suffisamment, les propriétaires me le céderaient à bon prix.

C'était formidable. Sauf pour un détail si absurde, tiens, que j'éclate encore de rire chaque fois que j'y pense.

Sais-tu qui étaient ces fameux propriétaires de qui Jacques Leber avait loué? Tu ne me croiras jamais! Les religieuses mêmes qui t'ont enseigné... oui, les sœurs de la congrégation Notre-Dame! Mais ce n'est pas tout! Tu sais à quelle condition elles acceptaient de me louer le bâtiment? Celle de ne jamais servir de boissons, ni bière, ni vin, ni eau-de-vie dans mon auberge! Oui, oui, j'allais devenir le seul aubergiste de Nouvelle-France à ne servir aucun alcool!!!

Et tout ça, sans doute, parce que ces bonnes religieuses avaient peur de se faire traiter de sœurs grises, comme on le fit plus tard de cette pauvre madame Dufrost de la Jemmerais. Ah! elle leur a rendu au centuple, la mère, en adoptant son habillement gris!

Mais comment allais-je attirer ma clientèle, sans boisson? Bah! on verrait bien. L'important, c'est qu'il y eût assez de va-et-vient pour dissimuler les échanges discrets de bibelots et de couvertures de contrebande contre notre fausse monnaie qui auraient lieu dans le sous-sol. Le beau programme! Avec la faillite de la monnaie, sans nouvelles émissions, notre activité ne pouvait plus avoir l'ampleur que lui avait souhaitée Leber dans son manoir de Lachine, mais elle nous promettait quand même des profits faciles.

Je n'hésitai pas une seconde. Quelques jours plus tard, nous signâmes tous trois ce pacte, préparé par le vieux Lepailleur, un gentilhomme muet comme la tombe et loyal au-delà de tout.

Sa grande année à Lepailleur. Grâce à de la Morandière, il venait tout juste d'obtenir de l'intendant Bégon une commission de substitut du procureur du roy. De plus, notre seigneur Leber avait fait en sorte qu'il siège comme lieutenant général durant toute l'année, alors, tu penses qu'il avait raison de demeurer muet et loyal!

Avec de tels complices, je pouvais dormir sur mes deux oreilles. Étienne de la Morandière lui-même nous servit de témoin. Je l'ai gardée toutes ces années, ma copie de contrat. Tiens, prends-la, là dans le coffre, et jette-moi ça au feu! J'aurais dû le faire depuis longtemps.

Bien sûr, nous n'avions rien à craindre d'Étienne de la Morandière non plus. C'est même grâce à sa complicité que Jacques Leber écoulerait notre modeste production.

Le lendemain matin, ta mère et moi allâmes cogner à la porte du couvent des sœurs de la Congrégation, rue Notre-Dame. Mère Marie-Thérèse Amyot, la sœur de notre coureur des bois, nous accompagna pour nous déverrouiller la porte.

La grandiose auberge que m'avait décrite Jacques Leber, et dont j'avais rêvé toute la nuit, n'était pour l'instant qu'une bâtisse vide, en pièces sur pièces, de trente pieds et demi sur trente pieds et demi. Elle était haute de trois étages et couverte de planches et de bardeaux.

On l'avait construite contre un édifice de six fois sa grosseur où les sœurs accueillaient et logeaient les indigents.

Au rez-de-chaussée, une seule grande pièce, avec un solide plancher de bois franc; c'est là que se trouveraient la cuisine et la salle à manger. On pourrait y asseoir facilement trente convives.

Les étages, eux, il nous faudrait les diviser nous-mêmes. Au premier, le grand dortoir et la chambre du roy, au second, nos pièces à nous, une pour Madeleine et moi, l'autre tout à côté pour Catherine, et les deux autres pour nos enfants à venir. Quant à ma belle maison de la rue Saint-François, eh bien! je la louerais aux Lacerte plutôt que de la vendre.

Une fois les frais de la transaction principale payés, la rente foncière allait me coûter cent quatre-vingt-seize livres par an. Il suffisait donc que nous servions trente, quarante repas par jour et que nous louions la moitié du dortoir pour faire nos frais. Ce n'était pas aussi lucratif qu'une commission de magasinier du roy mais, ma foi, avec un peu d'habileté et beaucoup de travail, nous nous en tirerions! D'autant qu'une bonne partie de notre clientèle — les voyageurs d'Amyot — nous était acquise à l'avance.

Aussitôt décidé, aussitôt entrepris. Je m'empressai de requérir les services de Claude Raynaud et de ses deux nouveaux engagés, le petit Alexis Larocquebrune, qu'on appelait Couillau tant il avait peur de tout, et un nommé Michel Auclair qui n'arrêtait pas de nous parler de son village de Baie-Saint-Paul, tellement que j'avais hâte qu'il y retourne.

Mais son retour ne serait pas de sitôt. Ils avaient tous les deux quinze ans et ils devaient demeurer au service de leur nouveau maître jusqu'à l'âge de vingt-cinq ans! Au fil des travaux et des besoins, ton parrain engagerait les journaliers ou les ouvriers dont nous aurions besoin.

J'accordais une confiance aveugle à Claude et il n'en a jamais démérité. Nous nous étions fait la main sur ma première maison et là, nous allions passer un autre hiver à aménager mon auberge. Une fois achevée, je te jure, elle n'eut rien à envier aux plus belles auberges de la ville.

Par souci de prudence, nous avions convenu que les voyageurs de Leber ne viendraient entreposer leurs marchandises qu'une fois les travaux terminés. Leber et de la Morandière avaient leur réputation à protéger, et aucun d'entre nous ne voulait être condamné aux fers ou au cheval de bois, le châtiment que les bons représentants du roy promettaient aux fraudeurs. Nous étions certains que le même sort nous attendait si nous avions tenté d'écouler notre fausse monnaie à Ville-Marie, même si, finalement, nous ne la refilions qu'à des gens ayant fait affaire avec l'ennemi.

Avions-nous tort, avions-nous raison? C'est comme pour l'eau-de-vie. La *guildive* que les voiliers du roy nous ramenaient de Martinique à plein tonneau, chaque printemps, était bonne, oui, et fort courue, mais elle causait des ravages horribles chez les Indiens. Ça, personne ne voulait en parler! Il fallait bien que nos négociants aient quelque chose à échanger!

Je te l'ai dit, les Anglois possédaient des marchandises d'échange supérieures aux nôtres, de bonnes couvertures de laine, des couteaux et des haches du meilleur acier. Leurs marchandises n'étaient pas seulement meilleures que les nôtres, elles leur revenaient drôlement moins cher! Et ils n'étaient pas soumis au droit du quart payable aux sieurs Néret, Aubert et Fayot, dans ce temps-là, puis à ce fameux John Law et sa compagnie d'Occident! Non seulement nous, on le paie encore ce fameux quart mais, en plus, on doit acheter de ces bandits notre marchandise d'échange.

Tu te rends compte comme ils ont beau jeu? Ils fixent le prix de leur maudite camelote à vingt fois ce qu'elle vaut. Leber, lui, ne pouvait accepter ça! Il ne voulait pas non plus faire comme d'aucuns, que je ne te nommerai pas, et écouler ses fourrures dans la colonie de New York, même s'il était mieux placé que quiconque pour le faire! L'intendant Bégon lui-même clamait à qui voulait l'entendre qu'au moins cinquante mille livres de castors passaient des mains de certains négociants montréalistes à celles des Albanois, malgré les menaces d'amendes et de châtiment!

Le beau résultat de tout cela, aujourd'hui, c'est que nos Britanniques n'ont de cesse de se faire des alliés dans toutes les tribus.

Nous, nous en sommes réduits aux menaces, et à aller encore plus loin, encore plus à l'Ouest comme l'a fait ton frère Hypolite, pour trouver des nations qui acceptent notre camelote! En 1717, à la fin du monopole de Néret et compagnie, on a presque cru l'avoir, la liberté du commerce des pelleteries! Tu parles! Les intérêts des amis du sieur Jérôme de

Pontchartrain, ministre de la Marine, ont pesé plus fort que ceux de la colonie, évidemment!

Quelle misère! C'est toute la source royale qui s'est tarie. «Les engagés vont venir par centaines, vous verrez, dorénavant chaque vaisseau devra en amener une dizaine», prétendaient notre gouverneur et notre intendant, ces années-là. Ouais! Sont-ils jamais venus, les engagés? Jamais! Et les soldats encore moins!

Elles avaient piteuse allure, nos 28 compagnies! Des vieillards, tous. Aucune nouvelle recrue... Des rangs décimés partout! Les nouveaux engagés eux-mêmes, les rejets de Versailles, n'étaient même pas assez nombreux pour remplacer les militaires partis mourir ailleurs, au vieux pays, ou tombés dans une embuscade, quelque part sur l'île.

Et c'est avec ces pauvres troupes que nous voulions tenir tête aux armées du roy d'Angleterre!

Non! Leber, lui, en franc capitaine de la Marine, préférait la guerre: faire attaquer les convois anglois par ses voyageurs, ramasser la part du lion du butin en fourrures et en monnaie d'échange, acheter des coureurs de bois leurs plus belles marchandises angloises et les échanger à des prix sans égal, puisqu'il les avait obtenues avec de la fausse monnaie.

Je te le dis, en vingt ans de ce genre d'escarmouches monétaires, je pense que Leber et quelques-uns de ses semblables ont fait plus pour défendre nos territoires que tous les soldats de Sa Majesté depuis le début de la colonie.

* * *

Chaque printemps, notre gouverneur général, le marquis de Vaudreuil, recevait une liasse de lettres, d'ordonnances et autres balivernes qu'il appelait cérémonieusement *Le Mémoire du roy* et dont il ne dévoilait le contenu à son rival l'intendant que goutte à goutte. Eh bien! ce printemps-là, celui de 1716, le fameux mémoire contenait un paragraphe qui allait bouleverser notre vie!

Sa Majesté y nommait un certain Louis de Laporte de Louvigny, lieutenant du roy, le plus haut rang militaire de la colonie après celui de gouverneur. Et pour que l'honneur n'aille pas sans le mérite, il lui ordonnait de monter sans délai une grande expédition contre les Outagamis, les Renards, si tu préfères.

Pour une fois, le régent de Louis XV avait été bien conseillé. Louvigny était de loin le plus grand guerrier de Nouvelle-France. Et son habileté à négocier avec les tribus indiennes était aussi grande que ses talents de soldats. Vaudreuil ne jurait que par lui!

Mon major, Le Verrier de Rousson, l'avait connu à Paris, alors qu'il servait dans la première compagnie des mousquetaires du roy; Louvigny y avait fait ses armes de sous-officier dans le régiment de Navarre et les deux hommes s'étaient liés d'amitié. Aussi, je ne fus pas surpris quand Le Verrier me demanda si notre toute nouvelle auberge pouvait, en ce printemps, accueillir son illustre visiteur. Elle l'était! Le Verrier m'avait si souvent parlé de ce grand soldat, et avec tant d'admiration, que je brûlais de le rencontrer.

Il arriva de Québec près de deux semaines avant la date prévue, et pas seul. Près de deux cents voyageurs, recrutés à Québec et aux Trois-Rivières, le suivaient, prêts à faire payer cher aux Outagamis leur préférence marquée pour la marchandise angloise. Et payés grassement pour le faire. Les guerres, ma fille, sont toujours affaire de gros sous.

Louvigny venait recruter deux cents autres voyageurs à Ville-Marie; en tout, cela ferait quatre cents voyageurs, tous plus tatoués les uns que les autres, à qui il jumellerait autant d'Indiens alliés. Les soldats? Peu ou pas. Louvigny connaissait trop ses adversaires pour ça. Aux uniformes voyants de Sa Majesté, il préférait les mocassins, les brayets, les chemises de lin du pays ou celles de peaux de chevreuil.

Nous le reçûmes en roy! Et il aima tant ma cuisine qu'il demanda à mon capitaine de me délester de mes fonctions de sous-officier pour prendre en charge le ravitaillement de sa petite armée. Je pensai en étouffer de joie... tu parles d'une belle fin de carrière: être choisi par le grand Louvigny pour cuisiner les repas de son armée tout en allant enfin découvrir ces fameux pays-d'en-haut dont on me parlait tant. L'apothéose, Marilou, *l'apouteoso!*

La ville entière m'aurait rappelé, comme le firent Madeleine et Catherine, que nous allions là pour guerroyer, pour tuer ou être tués, je ne l'aurais pas plus entendu qu'elles! Les clameurs de joie des voyageurs, les félicitations et les encouragements de tous les Montréalistes me rendaient sourd à tout le reste. Et puis, comme je l'ai souvent répété à

Madeleine, j'étais un vieux soudard, rompu aux combats les plus meurtriers!

J'avais crainte de ne pas trouver les hommes qu'il me fallait pour soutenir ma nouvelle réputation de cuistot en chef. Ma petite armée à moi, celle de la cantine, nécessitait des gens d'expérience et de talent! Mais la popularité de Louvigny était si grande que les candidats ne manquèrent pas.

La veille de notre départ, Le Verrier de Rousson me fit venir à ses bureaux. À mon grand étonnement, ton grand-oncle Louis était là, assis dans un vieux fauteuil défoncé, un vestige de l'ère Louis XIV, à l'image de notre armée! Mon vieil ami avait un air si triste que je pensai qu'il lui était arrivé un malheur.

— C'est Migwa, Nicolas, me dit-il dès que de Rousson referma la porte. Elle tient absolument à vous accompagner. Et Jacques Leber, va savoir pourquoi, me conseille de la laisser faire! Même madame Rouensa qui s'en est mêlée, à sa façon. Migwa m'a dit qu'elle lui avait remis des talismans pour deux ou trois chamans de ces régions, et que ces sorcières lui garantiraient toute la protection imaginable! Seigneur!

— Mais mon capitaine, lançai-je, une femme ne peut pas accompagner une armée!

— Celle-là, oui! me répliqua de Rousson. On m'assure qu'elle est presque aussi forte que vous, soldat. Et puis, elle pourra vous assister dans la préparation des repas.

— Je ne veux pas l'en empêcher, Nicolas, conclut mon ami. Elle est déjà partie, d'une certaine façon. Marianne la retenait ici, mais maintenant...

—Je la protégerai, Louis, je te le promets! Je te la ramènerai, saine et sauve!

Louis baissa les yeux, le capitaine me fit signe que l'entrevue était terminée.

Ce retour au pays des ancêtres que nous ferions ensemble, Migwa m'en avait parlé des mois plus tôt, à l'automne. J'avais cru alors qu'elle parlait de notre mort inévitable, de ces ancêtres éternels qui, selon elle, nous accueillent au trépas pour nous guider vers la vie éternelle. Mais voilà que je découvrais le vrai sens de ces propos. Je courus chez Madeleine. Nous n'avions plus que quelques heures avant le départ.

—Protège-la, Nicolas, mais ne m'oublie pas.

—Je ne t'oublierai jamais, et je te reviendrai, ne crains rien.

—Je ne crains rien, Nicolas. J'espère déjà ton retour, c'est tout!

Catherine s'était endormie avec les enfants. Nous restions seuls dans la cuisine. Nous y passâmes la nuit enlacés.

XIV

Nous étions si fébriles d'atteindre Michillimakinac que, dès le cinquième matin de l'arrivée de Louvigny à Ville-Marie, son rabaska quittait le quai des Barques vers les rapides de Lachine. C'était le premier de plus de deux cents de ces folies fragiles, fabriquées aux Trois-Rivières en feuilles d'écorce de bouleau d'un demi-doigt d'épaisseur, étendues sur un squelette de toutes petites lattes de cèdre et cousues ensemble avec du *wautap,* un gros fil de racines d'épinettes. Dans les trous des fils, et le long des fentes, de la résine chauffée qui figeait tout de suite. Tout au long du voyage, à chaque escale, on voyait vingt, quarante voyageurs colmater leurs voitures d'eau avec cette résine.

Je dois quand même t'avouer que ces bouts d'écorce, si fragiles qu'ils m'aient semblé, nous permirent de voyager vite et en bon ordre. Le temps était frais, les moustiques encore presque tous endormis. Migwa prenait place tout près de moi, dans un des canots de queue; elle riait, s'étonnait de tout, revivait l'émerveillement de l'enfance.

Mais quelle drôle de vie ils menaient, ces «mangeux d'lard» de voyageurs, comme les appelaient les bourgeois de Québec. Ils ramaient trois heures sans arrêt, de l'aube au crépuscule en remontant le courant, avant de s'arrêter pour fumer une bonne bouffarde. Comme collation, un biscuit, un morceau de *pemmican* ou de lard salé. Les plus courageux allaient jusqu'à épicer leur lard d'une mousse qu'ils ramassaient sur les cailloux et qu'ils appelaient de la «tripe de roche».

Pour se désaltérer, la plupart se contentaient de l'eau des cours d'eau que nous remontions, aussi pure et glacée que de l'eau de source. Les autres se calaient une solide rasade d'eau-de-vie derrière le gorgoton. Personne ne trouvait à redire, tant qu'ils ramaient aussi fort que les buveurs d'eau. Nos grands canotages se terminaient une heure avant la tombée de la nuit, le temps de ramasser du bois et d'allumer les feux. Les plus vaillants dressaient des tentes, mais la plupart se contentaient de renverser leurs canots; ils dormiraient dessous, emmitouflés dans une couverture de laine et recouverts de peaux.

Tous les soirs, je dirigeais la préparation du repas de notre état-major, puis, avec ma petite équipe de cuistots, je faisais la tournée des campements pour renflouer les provisions des uns et des autres, tous occupés à préparer leur seul repas chaud de la journée: une espèce de ragoût de *pemmican* et de farine qu'ils appelaient le *rubabou* et qu'ils agrémentaient de pois et de blé d'Inde, et souvent de la *sagamité*, une grosse soupe remplie de ce qu'on peut y mettre dedans: du poisson frais, des merveilleuses petites écrevisses que c'est une honte de gaspiller comme ça, des fèves séchées ou des haricots.

Soixante sentinelles se relayaient jusqu'au matin tout autour du campement. Je promenais mon insomnie d'une à l'autre, échangeant quelques mots ici, allumant une pipe là. Migwa m'accompagnait; entre deux sentinelles, nous reparlions de tout, de rien, comme aux premiers jours. Mais, dès que quelqu'un s'approchait, elle devenait muette comme une carpe, chaleureuse comme un carcajou.

Nous achevions notre tournée devant le feu du tatoueur de l'expédition, un drôle nommé Fourmy! Mais tout le monde l'appelait Tatou! Du crépuscule à l'aube, il chatouillait à l'aiguille la peau des jambes, des cuisses, du dos ou de la poitrine de nos voyageurs, surtout les jambes.

Nous passions des heures à le regarder esquisser son dessin, brûler la peau sur tout le contour avec un charbon incandescent avant d'y piquer son aiguille trempée dans une couleur ou une autre. De piqûre en piqûre, il retraçait comme ça toutes les formes de son dessin. Et il le faisait si habilement qu'une fois la douleur de la brûlure passée, les plus endurcis de ses patients s'endormaient en pleine opération.

Dès les premières lueurs de l'aube, on sonnait le départ. Dix minutes à peine et tous les canots repartaient en silence. Ces hommes, j'ai cru certains matins qu'ils ramaient en dormant tant ils semblaient connaître ce chemin que nous découvrions ensemble, Migwa et moi. Partis de Sainte-Anne-de-Bellevue, au bout de la grande île de Montréal, jusqu'à l'embouchure de la rivière des Outaouais, nous allions d'abord, pour éviter le détour par le lac Ontario et le lac Érié, remonter cette rivière pendant des jours et des jours, en ramant, et en portant canots, provisions et munitions le long de la rive, quand la rivière se faisait trop difficile.

Combien de ces portages avons-nous fait? Une bonne centaine, au moins, deux cents peut-être. Les voyageurs prenaient plaisir à nous réciter le nom de chacun: portage de la Roche fendue, portage des Chats, Grandes et petites allumettes, portage des Galets, des Roses, Roche du Capitaine, portage de l'Épine, portage de la Marquise.

Ils connaissaient aussi par cœur le nom des ruisseaux, des rivières qui venaient se jeter ici et là dans les voies d'eau que nous remontions. Chaque lieu avait son histoire, parfois drôle, parfois tragique, presque magique. Nous la découvrions, par la bouche de l'un de nos rameurs, à la halte suivante. Je me rappelle celle du portage des Chats, par exemple, appelé ainsi à cause de ses roches acérées qui égratignent, par manière de parler, les canots des voyageurs. Et celle des Allumettes; un missionnaire, poursuivi par une bande d'Iroquois, y avait abandonné son précieux chargement de petits bâtons magiques.

Chaque parole, Marilou, nommait le pays. Chaque récit m'y attachait le sang et les tripes! Le cœur me fendait à songer qu'un jour tout cela pourrait ne plus être nommé du beau nom français qui abrite sa légende.

J'allais m'en confier à Migwa quand je me rendis compte que ces histoires-là, elle ne les écoutait pas. Son regard, ses pensées s'évadaient dans le paysage. Les mêmes rochers, les mêmes remous, les mêmes feuillus lui chantaient, je crois, d'autres noms. Et je songeais que les diverses nations indiennes, traversant les mêmes paysages, évoquaient certainement d'autres noms, d'autres légendes. À chacun son monde, celui que les aïeux ont nommé.

Toute ma vie de soldat, j'ai voyagé. Des frontières de l'Espagne à celles d'Allemagne, des rives de la Méditerranée aux îles antillaises, j'ai découvert des contrées, des villages, des pays, des gens différents. Mais pourtant, *touto ma vito,* je n'ai jamais été étonné de trouver des hommes aux langues et aux coutumes différentes; leur territoire, leurs paysages transformés, recréés de génération en génération, depuis des millénaires, finissaient par expliquer ces coutumes et ces langues différentes de la nôtre.

Pourtant, ce voyage de Ville-Marie à Michillimakinac ne ressemblait à aucun autre. Ces forêts, ces falaises, ces montagnes, cette eau qui courait, dormait, chantait, jaillissait de partout, tout cela me semblait l'œuvre d'un dieu qui nous tolérait à peine, cousins et frelons que nous étions sur sa peau rugueuse.

Du bout de l'île, passé Sainte-Anne, à Michillimakinac, que des arbres, des rochers, des courants hostiles! Nous étions une armée perdue dans cette immensité verte et bleue, écrasés de ridicule avec nos idées de châtiment sur quelques «peaux rouges» aussi perdus que nous.

Des moments, je ne croyais plus à leur existence. Elle devenait aussi mythique que celle de ces monstres océaniques dont parlent les marins pour s'épouvanter les uns les autres. Pourquoi partir se battre dans un pays où la lutte pour la survie est la seule vraie et juste des guerres? Qu'allions-nous faire si loin de Montréal?

Après le portage des Galets, nous devions remonter la petite rivière Mataouan jusqu'au lac Nipissing. Ensuite, agrippe-toi au canot, c'est la rivière des François! Les alliés l'ont nommée comme ça parce que des dizaines de nouveaux voyageurs s'y sont noyés. Maudite rivière!

Le dernier des saults franchis, nous découvrions le lac Huron. Une véritable mer intérieure! De l'eau à perte de vue et des vagues hautes comme la maison, d'une si vaste étendue que je me suis demandé à mon tour pourquoi nos premiers voyageurs avaient appelé cela des lacs.

D'autant qu'après avoir fait le tour des lacs Huron, Supérieur, Michigan, Érié et Ontario, tu te rends compte que c'est un même grand océan d'eau douce, divisé en cinq parties!

Si! Les mêmes eaux joignent ces cinq grands lacs. Parfois, les bras de mer qui les relient sont étroits; au village des Saulteurs de Sainte-Marie, par exemple, le bras est si étroit et si escarpé que l'eau s'y précipite en rugissant plus fort que vingt diables. Il paraît même que la rage du courant peut se transmettre aux malheureux qui vivraient trop longtemps dans ces parages.

Nous étions exténués. Les derniers portages nous avaient brisés. Trois intrépides s'étaient tués, en voulant sauter les derniers rapides dans leurs cercueils d'écorce. Nous avions peine à imaginer leur mort; quand un voyageur disparaît comme cela, happé par les eaux, comment croire que c'est la fin?

Aucun de nous ne s'arrêta. À quoi bon! Ils les pleureraient plus tard, durant leurs bouffardes et leurs longues soirées autour du feu. Pour le moment, il fallait avironner, fort et bien; un seul instant d'inattention et c'est ton propre canot qui chavire et te coule au fond des eaux.

La vue de cette belle étendue d'eau rapide et sans moustiques nous a donné toute l'énergie qu'il fallait pour atteindre le grand chapelet d'îles que les Algonquins ont baptisé *Manitoualin*.

Nous étions accostés depuis deux heures à peine sur la plus grande de ces îles quand le vent se leva. Bientôt, il soufflait avec une telle violence qu'aucune barque n'aurait pu s'aventurer sur le lac sans couler à pic aussitôt.

Conscient de la grande fatigue de notre petite armée, refoulant son impatience d'atteindre Michillimakinac le plus vite possible, monsieur de Louvigny nous donna deux jours de congé. Nous traverserions le lac dimanche, dès le lever du jour, et nous arriverions à temps pour assister à la messe.

On ne se le fit pas dire deux fois. En deux temps trois mouvements, tous s'égaillèrent sur les rives et dans les grandes forêts de pins de cette île de vingt-cinq lieues de longueur sur six de largeur.

Je partis explorer avec Migwa. Ce curieux voyage dans une immensité sans fin nous avait rapprochés l'un de l'autre comme aux premiers temps. Nous ne pouvions plus résister à l'envie d'être seuls.

Notre exploration s'acheva rapidement, sur la rive sablonneuse d'un petit lac intérieur. Nous étions certains de ne pas y être dérangés. Les grandes eaux du lac Huron avaient converti notre armée en mordus de la pêche. Migwa et moi sommes restés sur notre plage secrète deux jours et deux nuits, sans voir âme qui vive. Deux jours hors du temps!

«Petite femme enfant
Douce petite
Tendre fille
Tout enfant que tu sois
Bientôt enfant porteras
Petite fille enfant
Enfant femme
Merveille»

Tu te rappelles? C'est la comptine de Migwa, son troisième souvenir d'enfance. Une berceuse qu'elle m'apprit là-bas.

— Je te la donne, pour les enfants que tu auras avec Madeleine. Ma mère me la chantait, pour m'endormir. J'avais dix mois à peine, j'étais emmitouflée dans le cuir de la planche de bois qu'elle accrochait devant elle, à un des montants de la cabane.

— Une planche comme celle que tu as chez Louis, avec sa petite poupée.

— Oui... Oh! Sois gentil. Donne-la à Catherine.

— Pourquoi moi? Non, toi tu le feras.

— Nicolas... Ma mère est morte, certainement, depuis des lunes et des lunes. Mais je la sens tout près de moi, là-bas, de l'autre côté de ce lac. Je la sens dans l'air, le bois, les animaux de ce pays-là. Mon pays. Ma nation! Je veux y retourner. Quand nous serons disparus, devenus air, eau, feu et terre, qui saura comment faire nos danses, qui saura comment guérir en chantant? Nous serons là, prêts à aider, mais plus personne ne pourra entendre notre voix!

— Je ne te quitterai jamais! Nous pouvons vivre tous ensemble. Madeleine et Catherine t'aiment comme leur sœur, et Louis se languit de toi, tu le sais.

— Chut!

Elle était nue, n'avait gardé qu'un long collier de mailles d'argent. C'était le deuxième soir. Une nuit de pleine lune. Nous étions couchés, l'un contre l'autre, unis depuis des heures.

Ce lac bleu et profond isolé de tout, le sable blanc, fin comme celui d'un sablier, la complicité des cœurs et des corps retrouvés. Migwa a imprimé son image en moi, tatoué mon cœur, mon âme, ma vie même de ses pensées.

Ce que j'ai vécu avec elle durant ces deux jours, cela ne se raconte pas. Cela est au-delà des mots et c'est le début d'un grand secret.

Migwa me faisait ses adieux et je ne voulais pas y croire. À l'aube de notre départ, pendant que nous courions à travers bois pour rejoindre notre petite armée, elle me lança:

— Nicolas Personne, ton troisième enfant sera une fille!

Et puis notre armée en partance nous avala corps et conscience. J'étais redevenu soldat.

* * *

Migwa, monsieur Guillaume et sa femme Marguerite, Dieu ait leur âme, notre si douce Catherine, Louis, Thibierge, Leber, Alavoine, mes grands amis, sont tous décédés maintenant mais aucun ne m'a quitté. Je les héberge tous dans mon auberge du cœur.

Demain, je commencerai, pour Madeleine, le rituel du passage. Je lui réciterai mot pour mot les chants de Kiagonan, je tenterai de les chanter, comme elle, en expirant mes mots violemment, en aspirant bruyamment pour qu'à chaque souffle elle se rappelle qu'il est temps de changer de corps.

Je n'ai pas appris comme elle à séparer la douleur de la vie, à me réfugier au plus profond de mon monde, à en oublier jusqu'à la souffrance même.

Je sais pourtant que cela est possible. Migwa et Catherine l'ont sans doute fait, au moment de leur mort. Et Madeleine en fera autant. Cela est possible, cela est vrai. Kiagonan, cette vieille dame sans âge, leur a enseigné comment.

Moi, je n'ai jamais su apprendre. Même aujourd'hui, si elle venait là, à mes côtés, je ne saurais pas l'écouter. J'ai trop de soldat en moi pour lâcher prise. Je me cramponne à la vie comme les teignes à la laine des moutons. Je n'ai pas réglé tous mes comptes avec le monde, ici-bas. Je rêve encore de le conquérir, de le transformer. Qu'ai-je donc appris de ces soixante-dix ans sur terre? À mieux haïr? Combien d'autres vies me faudra-t-il pour ne plus créer de souffrance, pour ne plus périr en elle?

* * *

Aucun équipage, aucun Indien, aucun voyageur ne manquaient au rendez-vous.

Prudent, Louvigny nous fit longer la rive nord du lac, de peur qu'un vent subit dresse ces montagnes d'eau verte et glacée que nous avions vu surgir puis s'effondrer l'une sur l'autre comme des démons en colère. Sur cette mer intérieure, pas de houle, pas de rouleau, pas de moutons, mais des masses d'eau verte immenses aspirées du fond de ces mers et qui te retombent dessus dans un fracas d'enfer!

Ce dimanche, le *Michibichi*, le grand manitou des eaux et des poissons s'était assoupi, et nous glissions sur un miroir. Les sept, huit cents avirons de nos voitures d'eau y traçaient de longs sillons qui s'écartaient derrière nous comme les plis de ta chevelure. Nous atteignîmes le fort de Buade à la fin de la matinée. Ils auraient dû l'appeler le fort de la Longue Vue, tant on peut y voir de loin. Impossible pour un seul canot de se dissimuler. Si bien que les habitants des alentours du fort avaient appris notre arrivée deux heures avant que les premiers rabaskas touchent la grande anse de sable sur laquelle le fort se dresse.

Et quel bâti! Tout en pieux de cèdre. Ceux du premier rang, en dehors, gros comme les cuisses de ton frère Charles, sont espacés de huit pouces de

221

façon à voir l'ennemi et ont trente pieds de hauteur. La base des pieux du deuxième rang est fichue dans le sol à deux pieds du premier, et ses extrémités viennent le soutenir. Tu as ensuite un troisième rang de pieux, à trois, quatre pieds à l'intérieur. Ce rang-là, il est fait avec des arbres immenses de trois, quatre pieds de diamètre et de seize à dix-huit pieds de hauteur. Tous sont serrés les uns contre les autres, à peine s'il laissent passer le jour.

Juste devant le fort, à une lieue et demie dans l'eau la plus pure, la plus cristalline qui soit, Michilli-makinac, l'île de la Tortue. La pêche y est miracu-leuse; les grosses truites, les esturgeons, les harengs, les poissons dorés et les poissons blancs se battent pour entrer dans le filet!

Au fond de l'anse de sable, le couvent des Jésuites et sa chapelle, le village des François, celui des Hurons et des Outaouais qui la bordent et la comblent.

Les grandes cabanes des Indiens ont de cent à cent trente pieds de longueur par vingt-quatre de large, avec un étage aux deux côtés. Chaque famille y a son appartement. Ces cabanes sont faites de per-ches de bois mou, grosses et fort longues. On les joint les unes aux autres en les faisant plier et obéir par le haut bout, après quoi on les attache avec de longs fils d'écorce de bois blanc. On entrelace ensuite cette armature de lisses de la grosseur du bras et on les couvre d'écorces de cèdre, sauf pour un jour d'un pied qu'on laisse tout au long du faîte.

Les maisons des François aussi sont construites de cèdre sauf le couvent des Jésuites — à tout seigneur tout honneur — qui est en planches de pin.

L'anse de sable bourdonnait de monde; voyageurs habillés de peaux et chaussés de mocassins, jésuites, soldats, femmes blanches, indiennes et métisses, habillées à l'européenne, guerriers et épouses des Hurons et des quatre familles d'Outaouais: les Kigkakons, les Queues coupées, la plus nombreuse, la famille du Sable, celle du Sinago et celle de Nassanajuetoun. Et les enfants, tous unis dans la joie et les jeux; même les petits Hurons, qui parlaient une langue différente, se mêlaient aux autres sans ennui.

Je fus surpris de voir que la plupart des voyageurs de notre armée étaient attendus! Et pas seulement par de jeunes Indiennes! Il y avait aussi des matrones avec deux, trois bébés dans les robes. Voilà qui expliquait pourquoi nous avions atteint le but si vite: un mois et demi à peine, plutôt que deux pour se rendre à Michillimakinac! Avec plus de trente portages entre Lachine et le lac Huron, sans compter la vingtaine de «décharges» où nous avions sauté les rapides avec les canots allégés de leur marchandise!

Après l'inévitable messe célébrée en l'honneur de notre arrivée, la fête! L'accueil phénoménal de ces gens totalement isolés de l'ancien monde! Leurs bras tendus, ouverts, leurs accolades passionnées, tout cela, tu le verras par toi-même quand tu iras là-bas, avec ton Louis, dans cette île Royale du grand lac Supérieur où il t'enchaînera à *uno ribambèlo* d'enfants. Alors, tu sauras mieux que moi ce dont je te parle. Après un hiver à contempler les mêmes nez au milieu des mêmes visages, ces gens-là vont te sauter dessus comme les maringouins sur une peau de bébé!

Nous avons tous trop chanté, trop crié, trop dansé, trop bu. Même le grand seigneur des lieux, un curieux jésuite presque converti aux croyances indiennes, a participé aux réjouissances! Mais, moi, qu'est-ce que je faisais là à m'amuser avec les autres plutôt qu'à m'occuper de Migwa! Comment ai-je pu m'y perdre à ce point, m'émerveiller d'eux jusqu'à l'oublier, elle, cette femme, dont je ne m'étais pas éloigné d'une foulée, jour et nuit, durant tout notre long trajet? Je ne me suis rendu compte de son absence qu'à la nuit tombée; il était trop tard, elle était disparue!

Pardonne à ton père de s'en attrister encore aujourd'hui. Migwa, les Renards, Louvigny, les robes noires des curés, les corps nus, tatoués, peinturlurés des voyageurs et des Indiens alliés, leurs cris, leurs danses, tout tourne dans ma tête, j'en ai mal au cœur, j'en ai mal à ma vie entière. J'ai si mal aimé! Conquérir, posséder, oui, mais aimer! Cette fête, c'est mon cauchemar, ma honte!

J'eus beau faire et refaire le tour de tous les campements, visiter une à une les maisons du fort, je ne la trouvai nulle part. Elle était disparue, sans adieu, profitant de ma folie aveugle. Je m'imaginai le pire. Une bande de soldats, d'Iroquois, l'avait entraînée au fond des bois, ou des voyageurs étrangers l'avaient emmenée, lui promettant de l'aider à retrouver sa tribu... pour la trahir et la vendre, au premier poste de traite anglois sur le chemin!

À la chaleur de cette maudite journée succéda le froid de la nuit. Puis le jour se leva, écrasé par un ciel gris, menaçant. Les visages souriants de la veille disparus avec le soleil. Tous nos voyageurs, tous nos alliés me ressemblaient, ce matin-là, silencieux, visage fermé, le regard dur, aux aguets. Eux, braqués sur la bataille à venir, moi, anéanti par la disparition de cette femme sans qui ce Nouveau Monde ne semblait pas pouvoir exister! *Bel embecile!*

XV

Nos gestes de départ, mille fois répétés, devinrent plus secs, précis, implacables. Présage des tueries de soldats. Les mains égorgent, les sabres dépècent, le cœur et l'âme sont ailleurs, ferment les yeux.

Le silence qui précède les guerres est plus lourd que celui de la mort. S'il n'y avait pas eu le bruit sourd des bagages qu'on rechargeait dans les canots, le cliquetis incessant des longs fusils et des mousquets, le sifflement tranchant du vent dans les pins, j'aurais pu croire que j'étais devenu sourd.

Migwa n'était plus là et je gardais peu d'espoir de la retrouver. Je suivis notre armée en somnambule. Nous voyageâmes pendant deux jours, empruntant d'abord le passage qui va du lac Huron au lac Michigan pour longer ensuite les rives de ce grand lac jusqu'à la baie des Noquets que, plus bas, ils appellent la baie des Puants, à cause de ses eaux stagnantes ou des tanneurs qui s'y trouvent, je ne sais.

Mais cette puanteur, les rapides, leurs portages, les écorchures, les meurtrissures, tout m'était devenu indifférent. Je ne ressentais plus rien, sauf une immense tristesse. Mon goût de l'aventure, ma joie de vivre, mon désir même de revenir à Ville-Marie et d'y vivre avec Madeleine, tout cela s'était enfui avec Migwa.

Nous atteignîmes le village de Manomine où nos éclaireurs, après avoir massacré les quelques vieillards abandonnés là et pillé leurs cabanes, nous apprirent que les Renards nous attendaient plus loin, sur leur territoire de chasse.

Ils campaient près d'un lieu nommé le lac des Vieux Déserts. Nous remontâmes donc la rivière Manomine durant plusieurs lieues puis, abandonnant là nos voitures d'eau, suivîmes nos guides dans la forêt.

Après la pagaie, les taillis les plus épais, les plus malsains de ma vie. Des marécages, des buttes innombrables, des ronces, des ronces et toujours des ronces. Les équipes de voyageurs se relayaient sans dire un mot. Ils ouvraient à coups de hache et de jurons un chemin large de quatre hommes. Nous étions discrets comme un troupeau d'orignaux en chaleur.

Cela dura une autre journée et demie. Nous atteignîmes enfin une grande plaine de folle avoine qui, selon nos éclaireurs, servait de lieu de ralliement aux Renards. Ils nous y attendaient. Louvigny aboya un ordre bref et notre armée de voyageurs et d'Indiens alliés se mit en rang à l'orée de ce bois que nous venions de traverser.

Nous avions davantage marché que canoté, usé de la hache que de l'aviron. Par temps froid et pluvieux. Le soleil brillait enfin, depuis assez longtemps pour que là, dans la plaine, les champs se soient asséchés.

Tout au fond, à la ligne de l'horizon des folles avoines, les guerriers du peuple de la Terre rouge, ces fameux Renards, s'étaient rassemblés devant leurs curieuses cabanes pointues que leurs femmes érigent en un tour de main.

— Ça va aller, me dit Tatou. Ils n'ont pas mis leurs couleurs de guerre.

Il voyait tout en dessins, celui-là, en lignes. Il ne lisait pas dans les yeux des gens, comme Migwa, mais dans leur silhouette, sur leur peau. Pour lui, tatouer, c'était réécrire le monde. Inscrire dans la mémoire de la peau les souvenirs des gens, leurs animaux totems, leur caractère, leur histoire.

— Les guerriers renards n'ont pas le goût de déterrer la hache de guerre. Des paysans, ces gens-là, pas des guerriers! Des gens qui cultivent le maïs, les haricots, les courges.

Je lui fis signe de se taire. De dépeindre ces gens qu'on voulait massacrer autrement que par des mots comme monstrueux, sanguinaires, malicieux, intrigants, Sauvages, c'était presque trahison pour certains de nos camarades.

Je lui rétorquai qu'en déployant tous ses hommes sur quatre rangs de profondeur, couvrant toute l'orée de la clairière, Louvigny les avait plutôt suffisamment impressionnés pour les dissuader d'une bataille perdue d'avance.

Mais le lieutenant du roy fit encore mieux. Il avança seul vers eux, accompagné de deux interprètes et de trois porteurs de cadeaux, Tatou, un type aux épaules de bison et qu'on appelait Bras d'or et moi. Pourquoi moi? Pour ma grande taille, sans doute, qui impressionnait toujours.

Les chefs renards s'avancèrent à leur tour. Sept guerriers dans leurs costumes d'apparat.

— Le premier, me dit Tatou, c'est Ouashala, le principal chef de paix... Une autre preuve qu'ils la veulent, la paix! S'ils voulaient la guerre, ce sont leurs chefs de guerre qui seraient venus nous voir! Et pas avec le même discours!

Nous nous assîmes, les uns en face des autres, et un long palabre en langue outagami commença, auquel je ne compris, bien sûr, strictement rien. Mon regard se perdit plus loin, vers les guerriers renards qui, comme les engagés de notre armée d'ailleurs, s'étaient assis en petits groupes et conversaient entre eux.

Après une heure, un des chefs renards fit un signe; aussitôt, une douzaine de guerriers vinrent nous rejoindre, les bras chargés de cadeaux. Des femmes, des enfants sortirent et se mêlèrent aux guerriers; les négociations allaient bon train!

Les enfants, sans toutefois dépasser le premier rang de leurs aînés, gambadaient en criant et en riant. Les femmes, elles, avaient allumé des feux et servaient à leurs guerriers des mets préparés quelque part derrière, dans cette forêt mystérieuse.

Trois d'entre elles se détachèrent de leur troupe et vinrent vers nous, les bras remplis de victuailles.

Elles étaient vêtues de leurs seuls bijoux et d'un pagne de cuir blanc, embelli de motifs en perles de verre multicolores.

Mon cœur arrêta de battre. La première de ces ambassadrices, celle qui ouvrait la marche, c'était Migwa! Je m'imaginai aussitôt qu'on l'avait prise en otage.

Louvigny ou pas, je ne fis qu'un bond, mon épée dégagée, brandie, prête à pourfendre tous les Renards du monde pour la libérer. Mais avant même que les négociateurs des deux camps aient le temps de réagir, Migwa me fit sa grimace souriante que j'aimais tant et qui me disait: «Sois pas ridicule, je suis là parce que je le veux! De mon plein gré!»

Je m'étais comporté en lourdaud, ridicule avec cette arme brandie tout haut, devant une troupe de guerriers capables de me ficher une flèche ou un poignard dans le cœur avant même que j'abaisse le bras.

Migwa et ses compagnes pénétrèrent notre cercle et offrirent à Louvigny des fleurs de printemps et des viandes. Les Renards n'auraient pas pu avoir plus belle ni meilleure ambassadrice que *ma guerriero*. Louvigny lui-même le reconnut, sur le chemin du retour.

C'est elle qui fit accepter au chef renard le prix fort élevé de réparation qu'exigeait Louvigny. Elle encore qui, en françois cette fois, justifia les attaques qu'avaient perpétrées les Renards. Ces guerriers, lui dit-elle, ne faisaient que venger le massacre d'un grand village renard par des Illinois et des Sauteux, armés de longs fusils françois.

Mais, répliquait Louvigny, ce sont des François que les Renards attaquent maintenant en s'en prenant à des tribus alliées. C'est l'honneur même du roy qui est en jeu, c'est le sang de chaque soldat de son armée qui crie vengeance et qu'il faut apaiser.

Louvigny l'assura aussi que les Renards auraient leur place dans le commerce des fourrures, au même titre que les autres alliés des François, s'ils acceptaient de se soumettre. La loi du plus fort jouait en sa faveur, Migwa n'eut pas de difficulté à en convaincre Ouashala.

Nous repartîmes vers notre armée avec la promesse que ce peuple de la Terre rouge et ses alliés Sauks, Kicapous et Mascoutens n'attaqueraient plus jamais nos convois, du moins tant que nos alliés des Cinq-Nations respecteraient aussi cette trêve. Sept cents peaux de toutes sortes, douze esclaves algonquins, si tatoués qu'on avait peine à distinguer leurs traits sous les dessins, et six otages, dont un des grands chefs de la nation *Pemoussa,* faisaient aussi partie de la réparation qu'avait exigée Louvigny.

Notre expédition sans pitié allait donc se terminer presque sans effusion de sang. Nous gagnions la paix, moi je perdais Migwa, une seconde terrible fois. Elle me dit:

— Ne t'inquiète pas pour moi, Nicolas. Kiagonan a tout arrangé, la plus grande des sorcières de mon peuple m'a prise sous sa protection. Adieu, je serai toujours avec toi. Je t'aime.

Elle m'embrassa, me remit ce petit collier d'or que tu portes au cou depuis tes douze ans, et c'est tout. Les guerriers de sa nouvelle famille l'entourèrent, nous repartîmes l'un et l'autre vers nos troupes, chaque pas qui m'éloignait d'elle était une déchirure.

Mes yeux étaient embués de larmes, mes jambes ne me portaient plus. Louvigny nous ordonna de rebrousser chemin sans attendre, de façon à rejoindre avant la nuit l'embouchure de la rivière qui se jetait dans la baie des Puants. Il craignait peut-être que certains de nos voyageurs, l'eau-de-vie aidant, se lancent d'eux-mêmes dans une expédition punitive contre les Renards.

Cela voulait dire un bon quatre heures de marche rapide avant le bivouac. Les grondements que j'entendis, les premiers de toute l'expédition, me portèrent à croire que notre lieutenant connaissait bien son monde... Et les plus mal intentionnés n'étaient pas ces méchants Hurons!

Notre voyage de retour se fit sans histoire, au fil du courant qui, cette fois, coulait dans le bon sens. Nous filions vite, évitant de justesse le piège des rapides. J'avais toujours été solitaire, je l'étais encore plus. Je m'isolai au creux de moi, comme Migwa m'avait appris à le faire.

Les soldats, les guerriers, respectaient mon silence. Les conteurs réinventaient notre histoire, la transformaient en épopée.

Écoute-moi, Marilou, écoute-moi. J'ai aimé ta mère plus que toute autre femme au monde, mais j'ai aimé Migwa et j'ai aimé Catherine tout aussi intensément. Peux-tu comprendre cela? Je les ai aimées toutes trois, et toutes trois m'aimaient. Différemment, mais avec autant de passion. Elles le savaient, elles le voulaient. Et rien n'était plus pur, plus grand que cette grande histoire d'amour-là. C'est moi, avec mes préjugés et mon orgueil à la place du cœur, qui a mis tant d'années à le comprendre.

Est-ce si terrible d'avoir vécu cela? Est-ce donc une faute? Moi, je ne regrette qu'une chose: avoir moins bien aimé que j'aurais pu le faire.

À la fin du voyage, à Sainte-Anne-de-Bellevue, je fis mes adieux à Tatou. Il repartait pour un autre voyage, avec une cinquantaine de voyageurs, autant de clients à illustrer!

Il m'avait expliqué comment les Mascoutens, la tribu d'origine de Migwa, étaient depuis longtemps les grands alliés des Renards, des Sauks et des Kicapous, au point, parfois, de partager les mêmes grandes maisons et la même langue, l'outagami. Il m'avait aussi appris que les Mascoutens étaient la Nation du feu, ce qui me fit sourire et penser à l'incendie du cœur dont aimait tant parler Migwa.

Je n'avais pas le droit de demeurer si triste. Je choisis de lui construire une place en moi, au fond de mon cœur, une maison comme elle aurait aimé habiter, toute embaumée de ses herbes mystérieuses.

Madeleine m'attendrait, au quai des Barques, avertie par les éclaireurs de notre arrivée imminente. Je quitterais l'armée, nous nous marierions à l'automne, une nouvelle vie allait commencer.

* * *

Une autre nuit à les écouter dormir. Le souffle de Marilou, vent d'été, murmure d'ange, celui de ma pauvre Madeleine, soupir perdu, bruit d'aile d'un oiseau piégé, blessé, épuisé qui tente de se dégager des rets qui l'emprisonnent. La vie est une si curieuse affaire: moi, la fièvre m'a quitté il y a deux jours à peine et je me sens en forme comme un jeune de cinquante ans.

Indécente la vie! Si je le voulais, je pourrais sans doute vivre dix, vingt ans encore. Mais je ne veux pas survivre à Madeleine, dernier témoin de mon Nouveau Monde, de notre vie. Survivre, Avoir, Être, Aimer sont les quatre premiers verbes, ceux qui se partagent le monde.

Je veux quitter ce monde où je n'ai su conjuguer que les trois premiers. Je vais avaler cette poudre de petits champignons dont Migwa m'a donné le secret et qui permet de passer dans l'autre monde sans douleurs.

Selon Migwa, une fois le grand fleuve de la survie et ses rapides franchis, notre destinée se divise en deux grands cours d'eau, qui, eux aussi, ont leurs rapides et leurs remous, les rivières de l'Avoir et de l'Être.

On leur donne aussi d'autres noms: le pouvoir et la passion, l'avarice et la générosité, l'envie et le plaisir, la vie de grand argentier et celle de grand aventurier.

Tous, nous devons choisir et remonter l'une de ces deux rivières. Ceux qui choisissent la rivière Avoir deviennent persuadés que les autres, les voyageurs de l'Être, sont des gens méprisables. Et ces derniers le leur rendent bien, en méprisant souverainement les gens de l'Avoir.

Pourtant, les deux rivières se valent. On peut y gaspiller sa vie si l'on ne parvient pas à les remonter. Les sages de toutes les religions racontent qu'à leur origine les deux rivières ne forment qu'un seul ruisseau. Puis le ruisseau devient un fleuve, la source de toute vie, la fin des angoisses et des malheurs, hors du cycle perpétuel de la naissance, de l'enfance, de la maturité, de la vieillesse et de la mort.

Cette source, Migwa la nommait Aimer. Mais aimer dans un sens que je connais encore mal. Un vrai sage, m'a-t-elle dit un jour, aime de telle façon qu'il se confond avec tout ce qui vit sur terre, dans un don total, au point d'en oublier jusqu'à sa propre existence, sa souffrance, sa mort.

Les Mascoutens, comme les Hopi, comme les Gros Ventres et d'autres nations dont Kiagonan Rouensa lui avait appris l'histoire, parlent, dans leurs légendes, du pays du grand manitou qui se trouve au fond de la caverne d'où surgit la fontaine de vie. Ils croient que l'air que nous respirons, l'eau que nous buvons, la nourriture, tout cela est vivant parce que des générations et des générations de sages aiment cette terre et aiment qu'elle soit. Sans leur amour, plus de vie possible. Quelle belle idée, de l'air vivant, l'âme de nos ancêtres, de mes amis rendus au-delà de la Source, dans la lumière.

Combien de temps Madeleine restera-t-elle ainsi, entre l'Avoir et l'Être, le froid et le chaud? Une, deux nuits peut-être? Mon histoire devra être racontée avant.

Puis je me tairai. Je reviendrai me coucher ici, une dernière fois. Et je mourrai dans la nuit.

Quelques-uns diront: «Le vieux Personne est mort», comme on dit: «Tiens, il va pleuvoir aujourd'hui.» Ça, c'est ceux qui se souviennent vaguement de moi, les autres ne savent même pas que j'existe! Je ne leur en veux pas, il y a déjà si longtemps que je vis retiré de leur société. La seule vraie fin du monde, c'est sa propre mort!

Marilou se sentira perdue, délaissée, mais libérée aussi, délivrée de ses devoirs. Elle fera, à son tour, la grande remontée vers les pays-d'en-haut. Louis Raynaud l'amènera dans son canot d'écorce jusqu'à Sault-Sainte-Marie, puis ils franchiront le long portage jusqu'au grand lac Supérieur qu'ils traverseront presque en entier avant d'atteindre l'île Royale. Ils s'y installeront, elle y élèvera leurs enfants pendant que Louis courra les bois à la recherche de fourrures. Aura-t-elle seulement le temps de leur apprendre à lire? Vivront-ils en paix? En françois?

Le souffle de Madeleine est redevenu calme. Je vais lui redire ces mots outagamis qui l'aideront à lâcher prise, veine après veine, rameau après rameau, racine après racine, jusqu'à ce que l'âme même de sa sève parte avec le vent d'automne.

XVI

La joie de ta mère et de nos amis était si grande de me revoir sain et sauf que j'en oubliai ma tristesse. La ville entière fêtait notre retour. Nous passâmes trois jours à nous étourdir de rires, de vin et de danses. Je dus raconter je ne sais plus combien de fois notre expédition, jour après jour, portage après portage. À Madeleine, je relatai tous les détails de mon aventure et de ma peine. Et elle accepta tout, comme si cela allait de soi.

L'été fut doux, sans histoires. Je le passai à divers travaux d'embellissement de l'étage que nous allions occuper, Madeleine, Catherine et moi, à l'auberge. Et le soir venu, nous nous retrouvions tous les trois, serrés, collés devant un bon feu de bois, inséparables.

Je me rappelle à peine de mon départ de l'armée, que j'avais pourtant attendue toutes ces longues années. À peine soldé, je n'y pensai plus. Bien sûr, grâce aux bons soins de Louis et de notre seigneur Leber, on ne me traitait plus en soldat depuis belle lurette et ceci explique peut-être cela. Ces derniers mois, je devais me présenter une fois la semaine à mon lieutenant, c'est tout.

Et puis, il y eut notre mariage célébré dans la maison de Jacques Leber, le 22 novembre 1716, devant le vieux notaire Lepailleur. Ta mère avait vingt-huit ans, moi quarante et un, trois ans de moins que notre église Notre-Dame que tu trouves si ancienne.

Les parents de Madeleine avaient dû se rendre aux Trois-Rivières, toutes affaires cessantes, pour régler devant les tribunaux un litige concernant la vente de leurs terres; aussi Louis servit de témoin officiel à Madeleine. Il y avait aussi Jean Poirier, de Repentigny, un oncle de ta mère que je ne connaissais pas et qui avait le cul plus large que les épaules, et Jacques Leber, escuyer, sieur de Senneville.

Mes premiers témoins à moi: Étienne de la Morandière, commissaire du roy et son procureur royal au siège de l'amirauté du Havre de Grâce, sa femme, Élisabeth du Verger, leur fils Jacques et leurs filles Marie et Geneviève. Ma famille d'emprunt, pour l'occasion.

Pauvre monsieur de la Morandière. Sa femme le menait par le bout du nez. Et pas en privé! Devant tout le monde. Tiens, une fois qu'elle avait bu, elle l'a traité d'hongre qui n'avait pas plus de manche à sa casaque qu'une tripe en ses chausses! Tu te rends compte!

De la Morandière était à peine plus âgé que moi, et pourtant, cette journée-là, il me traita comme son fils ou peut-être était-ce moi qui avais besoin de penser à ce père que je n'avais jamais connu. Ma vieille nourrice Ménina m'avait toujours décrit mon père comme doux, gentil et généreux. Moi, je lui rétorquais: trop doux! Trop gâté par la vie, loin de ses vérités. Je n'arrivais pas à lui pardonner sa candeur; c'est à cause d'elle qu'on les a violentés, assassinés. Il n'a pas su défendre sa propre épouse, avec ses sonnets et son idéalisme. Il ne savait même pas manier l'épée.

Moi j'ai su. Je pourrais encore écraser la main de bien des jeuniots de ton âge si je le voulais. Même malade. Mon père, lui, vivait dans son évangile: «Aimez-vous les uns les autres... tendez l'autre joue!» Tu l'as déjà poursuivie, cette litanie-là? Écoute la suite: «Laissez-vous bafouer, voler, fouler au pied, mais ne tuez point! Laissez-les vous traiter en esclaves, laissez-les vous affamer, vous mettre aux galères, vous épuiser de travail au nom de Dieu et du roy jusqu'à ce que vous soyez prêts à vendre votre mère, votre femme, vos enfants, pour une bouchée de pain. Même pas, pour une heure de sommeil. Oui, pour le droit de fermer les yeux rien qu'un peu, quelques minutes, sans recevoir un coup de fouet ou un coup de botte au visage.»

Marilou, n'écoute pas ces imbéciles et leurs sornettes. Si tu dois croire en quelque chose, si tu t'inquiètes trop du sens de ta vie, crois plutôt en l'enseignement de Migwa; nous sommes tous des animaux du grand Manitou. Et tout animal doit chasser, tuer, pour survivre. À l'étape de la survie, tu as le droit, non, tu as le devoir de tuer.

C'est la loi de la vie et de la mort. Tuer pour manger, pour défendre sa vie et celle des siens, pour vivre, pour s'accomplir! Mon père a failli à son devoir. Vois ce qui en a résulté: la vie m'a donné de beaux parents: le haut sénéchal d'Hautefort et l'armée du roy. Les deux m'ont appris à tuer pour survivre.

Qui d'autre y avait-il à cette cérémonie où ni Madeleine ni moi n'avons signé, elle parce qu'elle ne savait pas et moi parce que j'écris trop mal; je n'ai jamais su vraiment écrire autre chose que des chiffres, tu le sais.

Ah oui! il y avait les filles Guillemot-Lalande, deux demoiselles des Trois-Rivières, amies de Madeleine, les petites-filles de ce commandant du fort des Trois-Rivières au milieu du siècle dernier, un vieux fou, imbu de son autorité, et qui fut massacré par les Iroquois, avec vingt et un autres colons.

Le seul massacre qu'il y eut, le jour de notre mariage, ce fut dans le cœur de la plus jeune Guillemot-Lalande, Geneviève, et dans celui de notre grand aventurier Jean-Baptiste Amyot; les flèches de Cupidon ne les ratèrent pas, ces deux-là! Quand ils se virent, l'univers entier, et nous tous dedans, cessa d'exister. Quatre mois et trois jours plus tard, ils étaient mariés; les mauvaises langues disaient que c'était pressé!

Deux grands amis me servirent également de témoins. Charles Alavoine d'abord, mon ancien capitaine devenu marchand, accompagné de sa femme Marie-Thérèse et de leur fils Charles qui rêvait déjà d'être chirurgien, et Jacques Thibierge, arquebusier du roy.

Tout ce beau monde-là se retrouva le lende-main, à la cérémonie religieuse, dans l'église Notre-Dame.

Comme le voulait la coutume, le vicaire Priat vint, après la messe, bénir notre lit nuptial, dûment installé et décoré à notre étage de l'auberge. Nous le menâmes donc jusqu'à la chambre. Les convives remplissaient la salle; les blagues les plus douteuses fusaient de toutes parts, sur le thème de son gou-pillon... et du mien! Je te passe les détails. Il fallut fermer la double porte de notre chambre pour que le vicaire accepte de donner sa bénédiction.

Nous descendîmes ensuite rejoindre nos convives sous les cris, les sifflements et les «pas déjà?». Puis, nous nous attablâmes à un déjeuner de noces qui dura jusqu'aux petites heures du matin. Je ne sais pas combien ça a coûté en victuailles et en bon vin, mais je suis certain que ce fou de Louis, qui tint à payer pour tout, s'y est presque ruiné.

Notre nouvelle vie commença, toute simple, sans histoires. Nous devînmes des petits bourgeois, menant une vie tranquille mais active, dans la seule auberge respectable de la ville. Respectable du rez-de-chaussée en montant; ce qui se passait dans la cave, c'était autre chose.

— Mais propre parce que politique, me disait notre sieur Leber, quand il venait me remettre ma quote-part. C'est notre contribution à l'essor des François en Amérique. Chaque petite transaction nous rapporte une peau de castor que les Anglois n'auront pas.

Oui! Et des profits que le roy de France ne ver-rait jamais non plus. Je n'en ai pas de regrets. Avec sa monnaie de cartes, il nous a ruiné, le beau Louis XV!

Marilou, ta mère! L'entends-tu haleter? Plus elle court après son souffle, plus je trouve cela difficile de continuer. Mais il le faut, tu comprends, et tout de suite! Après, quand elle sera partie, je n'en aurai plus le cœur ni la force.

Je dois dérouler notre histoire jusqu'à la fin, et je ne souhaite qu'une chose, c'est que tu me pardonnes de ne pas te l'avoir relatée avant. Voilà pourquoi je prends tant de détours pour te dire ce que j'ai à te dire. Et ces détours, tu en auras besoin, toi aussi, pour la transmettre à tes frères.

Va, un instant, va remettre de l'eau dans la bouilloire, et du camphre dans l'eau, et reviens-moi vite que je te raconte le reste.

* * *

Tu sais ce que c'est, un calendrier d'aubergiste? C'est celui des départs et des arrivées de ses clients, des fêtes aussi. C'est le respect des us et coutumes de la cité dans laquelle tu tiens ton auberge. Ce calendrier-là, c'était notre maître! Je pourrais encore te nommer les trente-six fêtes d'obligation et le montant des aumônes qu'il me fallait verser à leur très sainte mère l'Église.

Il y avait le calendrier des naissances, aussi, pas encore celui des décès. Et puis la clientèle, la clientèle, la clientèle à toute heure du jour et de la nuit. Je perdis de vue presque tous nos amis, Jacques Leber le premier qui, maintenant que notre entreprise fonctionnait rondement, se désintéressait de nous pour se consacrer à sa fameuse bourse. Il avait obtenu la permission de fonder cette bourse, avec les autres grands marchands de Montréal en 1717 et depuis, cela roulait en grand, crois-moi.

C'est ainsi que nos notables sont devenus des intrigants; ils se réunissent désormais dans cette place, mieux protégée que le palais du gouverneur, pour délibérer en secret de leurs affaires et faire valoir leurs requêtes ou leurs remontrances à l'autorité, avec la bénédiction du roy.

La Bourse, ma fille, c'est le début de la royauté des marchands. Les mécréants comme nous, ni pauvres ni riches, nous n'en avons pas de bourse! Nous n'en aurons jamais. À moins de devenir des sujets de Sa Majesté le roy d'Angleterre. Eux, ils ont tous les droits! Alors, pendant que les grands marchands jouent à la bourse, nous, on continue de servir le roy comme à l'armée, avec les fameuses corvées.

Ces années-là, c'est encore aux murailles de la ville que s'intéressaient le nouveau commissaire de la Marine, Clairambault Daigremont, et ses supérieurs.

— Vous avez fait des portes, des trous partout, nous haranguaient-ils. Les Anglois pourraient enlever la place avant même que vous vous en rendiez compte!

Heureusement, c'est notre major François Le Verrier de Rousson, qui fut chargé de diriger les travaux, alors je ne me tuai pas à la tâche; il accepta tout de suite que je me fasse remplacer par un de ces mécréants que j'hébergeais derrière, dans le hangar de l'auberge, en échange de quelques menus services.

Ces maudites murailles, nous allions y travailler encore vingt ans, tu te rends compte! Et pourquoi donc? Maintenant qu'elles sont faites, ce sont les soldats qui nous manquent! À quoi servent des murailles sans soldat?

Une nuit, à l'été 1717, je rêvai à la mort de Migwa.

Je me réveillai en sueurs et, sans trop savoir pourquoi, je me précipitai en bas, aux cuisines. Catherine y rallumait des feux. Elle leva vers moi des yeux pleins de larmes. Nos mots se heurtèrent:

— Migwa vient de mourir!

Quelques semaines plus tard, Tatou vint confirmer nos craintes. Des jours durant, avant son arrivée, j'avais eu le même rêve; je me retrouvais dans ma première maison, voisine de chez Louis, assis à la grande table, devant l'âtre. Migwa me tendait sa coupe d'or, remplie à déborder d'un vin rouge sang, mais, cette fois, au dernier moment, elle la ramenait à elle et la buvait lentement, jusqu'à la lie. Et plus elle buvait, plus la lueur du feu devenait intense, aveuglante, insoutenable.

La légende de Migwa, tu la connais. Je te la racontais, pour t'endormir, quand tu étais toute petite. Oh! Pas en autant de mots. Je l'avais un peu embellie, rendue moins triste.

Voici la vraie, telle que Tatou lui-même nous l'a contée dans la cuisine de l'auberge.

Migwa habitait le plus grand village mascoutens, avec la sorcière Ehyophsta, cette amie de Kiagonan Rouensa qui l'avait accueillie comme sa propre fille. Migwa venait d'accoucher d'un garçon à la peau claire, aux yeux gris, et aux cheveux plus rouges que nos forêts d'automne. La Nation du feu voyait en sa naissance *magno magio.*

À la fin de l'hiver, les provisions étant basses, les chefs avaient organisé une grande chasse. Tous les guerriers avaient donc quitté le village. Seuls restaient les vieillards, les femmes et leurs poupons.

Migwa gardait encore le lit et sa mère adoptive lui faisait cette coiffure traditionnelle qu'on appelle «les ailes du papillon». Elle venait de terminer le côté gauche de la tête et s'apprêtait à enrouler l'autre moitié quand un jeune Renard, adopté par la tribu, fit irruption dans la cabane et cria à bout de souffle:

— Les Apaches, les Apaches nous attaquent!

Les vieillards et les femmes se précipitèrent hors de leurs appartements vers le centre de la cabane. Plusieurs se mirent à hurler, à trembler, à pleurer. Migwa, elle, s'esclaffa, d'un rire si puissant que tous se calmèrent aussitôt.

— Les Apaches attaquent? Ha! Ha! qu'ils viennent!

Le jeune Renard lui tendit la hache, l'arc et les flèches que son père lui avait donnés, avant de partir pour la chasse. Elle les saisit, se mit à chanter, et, quand elle arrêtait, elle repartait à rire pour leur montrer qu'elle n'avait pas peur de se battre. Elle fit cela quatre fois et puis sortit en courant sus à l'ennemi.

Vingt, trente vieux guerriers la suivirent et douze autres femmes aussi, inspirées par son exemple. Quarante-sept Apaches poussaient leurs chevaux dans la plaine, sans se cacher, sans se presser, sûrs d'une victoire facile.

Migwa rit de plus belle et s'avança sur eux. «Ha! ha!» À quatre reprises, elle souleva haut sa robe pour bien leur montrer qu'elle était femme. Et la quatrième fois, les douze autres femmes qui l'accompagnaient l'imitèrent.

Ce fut la ruée. Les Apaches attaquaient au galop, terribles comme les chevaliers de l'Apocalypse, en poussant les cris d'horreur du dieu Coyote. Mais le rire de Migwa les couvrait. Sa première flèche transperça le cou du chef de la bande, sa seconde frappa un autre guerrier en plein cœur.

Quand son carquois fut vide, au bout de chaque flèche un Apache mort, elle se servit de leurs lances, de sa hache. Trente-quatre Apaches moururent ce jour-là, les autres s'enfuirent, épouvantés par cette femme guerrière au masque à deux visages, l'un bleu et bouclé comme les cornes d'un bouc et l'autre jaune aux cheveux longs et drus.

Quatre vieillards mascoutens étaient allés rejoindre Oussakita, le grand manitou de toutes les bêtes qui marchent sur la terre et qui volent dans les airs. Migwa revint au village, emportant dans ses bras le jeune Renard, blessé à l'épaule et perdant son sang.

Elle l'amena dans sa couche, l'allongea près d'elle et demanda à Ehyophsta de le soigner comme si c'était son fils. Elle n'avait aucune blessure, n'avait qu'une envie: se reposer. Elle se couvrit les jambes de deux peaux de daim et aussitôt s'endormit.

Le soir, quand Ehyophsta lui mit l'enfant au sein, Migwa rit, doucement, sans s'éveiller, d'un rire si

généreux que la vieille sorcière en pleura de tendresse. Ehyophsta alla ensuite porter le bébé à une
nourrice, pour que Migwa puisse dormir en paix le
reste de la nuit. Le lendemain matin, Migwa avait
cessé de vivre. Sous sa couverture de daim, elle avait
accouché tout le sang de son corps!

Quand les guerriers revinrent au village et surent
l'histoire, ils demandèrent au meilleur sculpteur de
la nation de fabriquer un masque mi-bleu, mi-jaune,
à la chevelure mi-drue, mi-frisée que désormais leur
chef porterait pour les mener à la guerre.

Quand tu verras Charles, là-bas, dans sa baie des
Puants, raconte-lui cette histoire. Demande-lui s'il
n'a pas vu, chez les Indiens des environs, un grand
guerrier à la peau pâle et aux cheveux roux. Si vous
le retrouvez, un jour, dites-lui que je l'ai toujours
aimé, sans le connaître, et que je me languis de lui.

* * *

Voilà l'histoire de Migwa, celle que j'aurais dû
raconter à Hypolite et à Charles avant qu'ils partent
vivre là-bas, à quelques lieux à peine du pays de ses
ancêtres!

Mais je n'ai pas pu leur parler, je n'ai pas su. Je
n'ai été bon qu'à leur gueuler après, comme aux
pires galériens. Que veux-tu! Ils me ressemblent
trop, et je suis plus colérique, plus mauvais que
Pierre de la Personne, brigand en chef du château
de Hautefort. Ah! comment veux-tu que je meure en
paix avec des pensées comme celles-là!

* * *

Un an presque jour pour jour après notre mariage, Madeleine m'annonça qu'elle était enceinte. J'en étais fou de joie.

— Si c'est une fille, c'est toi qui choisis son nom, m'avait-elle dit. Si c'est un garçon, c'est moi.

Ton frère Hypolite est né le 20 mai de l'année 1718. C'est Marianne Lacerte elle-même qui accoucha sa fille, avec l'aide de madame Rouensa. Hypolite, c'était, bien sûr, le prénom de son parrain, le fils aîné de Jacques Leber, qui venait tout juste de se marier avec la petite Anne-Marie Soumande, la fille d'un autre Boursier. Pas un mariage à la gaumine, comme ce fou de François Poulin de Francheville. Non, un beau et somptueux mariage, comme on n'en fait plus de nos jours, avec une procession jusqu'à leur nouvelle maison, tout au bout de la rue Saint-Guillaume, près du magasin aux poudres. Hypolite Leber était riche, généreux et il nous adorait. Quel meilleur choix pour un parrain!

Quelques mois plus tard, Louis vint m'annoncer qu'il fermait définitivement boutique. Il voulait aussi vendre ses terres et sa grande maison, et déménager dans une maisonnette de Lachine, près du manoir de Jacques Leber. La belle Anne, sa nièce, voulait le suivre. Malgré tous les célibataires qui lui couraient après... ou peut-être à cause d'eux. La plus belle fille de Ville-Marie avec un vieillard de soixante ans, un veuf de surcroît! Les mauvaises langues se faisaient si méchantes que le vicaire Priat se sentit obligé de rendre visite à Louis et d'exiger des explications. On intervint même auprès de notre seigneur Jacques Leber pour qu'il les convainque de renoncer à leur projet.

Tu sais ce que fit ton grand-oncle? Il attendit la fin de la grand-messe, un bon dimanche, et, devant tout le monde, il prit le bras d'Anne et se dirigea vers l'autel. Ensuite, au grand étonnement des fidèles, ils suivirent le curé et ses deux enfants de chœur dans la sacristie... Quand ils en ressortirent, dix minutes plus tard — et je te jure que pas un chrétien n'avait quitté le parvis de l'église — le curé les tenait chacun au bras, avec son grand sourire radieux du matin des dîmes! Il les amena ainsi devant l'autel, les fit s'agenouiller et il leur donna devant tout le monde sa plus belle bénédiction. Louis et Anne se relevèrent, nous rejoignirent à notre banc et nous quittâmes le temple dans un silence d'étonnement.

Une fois dégagés de la foule, je lui demandai:

— Qu'est-ce que tu lui as donc fait, mon bon Louis, à ce sacré vicaire qu'il te baptise jusqu'au plafond avec ses grands bras d'épouvantail?

— Trois mille livres, de la plus belle monnaie de cartes de tes caves, mon cher Nicolas. Tu l'ignorais peut-être, mais l'art de notre bon monsieur Lacerte ouvre jusqu'aux portes de notre sainte mère l'Église!

Avant de s'exiler, Louis me vendit sa terre de la côte Saint-Léonard, histoire d'augmenter ses rentes. Oh! ne crains rien! Je ne l'ai pas payée en monnaie de cartes, mais en bon argent sonnant, devant le notaire Nicolas Senet, au bourg de la Pointe-aux-Trembles.

Madeleine était enchantée de se retrouver propriétaire de ces vergers de pommes. Quant à moi, l'auberge m'occupait tellement que je ne les visitai pas avant l'été, mais notre voisin, André Jodoin, accordait à nos arbres fruitiers une attention presque amoureuse, si bien que nous eûmes la plus belle des récoltes.

Louis en aurait été fier! Il me manquait, tu sais. D'autant que nous nous étions à peine revus depuis l'ouverture de ma fameuse auberge. Et puis, un enfant, surtout le premier, ça bouleverse une vie! Il lui donne un sens à la vie, ça oui!

Moi, les douze premiers mois de la vie d'Hypolite, je n'étais pas là. Je me cachais dans le travail de l'auberge, dans les cuisines. Je me terrais deux étages et un univers plus bas. J'avais peur d'être père. Oui, tu m'as bien entendu. Peur! Plus peur de ce bébé que de n'importe quelle tuerie.

Hypolite ne me voyait jamais. Comment donc puis-je lui en vouloir de me traiter comme un étranger? Quand je pense à lui maintenant, je sais ce que voulait dire Bertrand de Born en pleurant sur la mort de ses propres fils:

«Di sè faceva a sè stesso lucerna;
Ed eran due in uno, e uno in due:
Com esser può? Quei sa, che si governa.»

«Il se faisait de lui-même une lampe;
ils étaient deux en un et un en deux.
Comment se peut-il? Celui-là le sait qui gouverne
ainsi le monde...»

Jacques et Hypolite Leber. Claude et Jean-Baptiste Raynaud. Jean-Baptiste Amyot et ses cinq fils, solides et solidaires. L'expérience du père, la vitalité du fils, toutes deux réunies dans un même combat! Pourquoi ai-je donc échoué là?

Je ne voyais plus Madeleine que tard dans la nuit. Je tombais dans notre lit, lourd comme une poche, et je m'endormais aussitôt. Elle ne m'en a jamais fait le reproche, pas en autant de mots.

Hypolite prenait toute son attention durant le jour et une partie de la nuit. Ce petit monstre n'a pas fait ses nuits avant l'âge de huit mois! J'étais excédé par ses hurlements. Parfois même, j'allais carrément dormir dans une des chambres de nos clients.

Catherine l'aidait souvent, ta mère, à calmer le petit. Le jour, elle travaillait avec moi, à la cuisine et à l'ordinaire de l'auberge. Elle savait commander et se faire aimer. Nos cinq petites servantes auraient donné leur vie pour elle. Et puis, surtout, plus j'apprenais à la connaître, au travers de nos peines et de nos victoires, plus je retrouvais en elle Migwa! Même magie, même tendresse.

Nous formions une petite armée de choc, capable de négocier les meilleurs prix au marché, de préparer et de servir trente gros repas à l'heure et de nettoyer l'auberge, de fond en comble en une demi-journée.

Ton grand-père Guillaume, lui, dut ralentir sa production de fausse monnaie de cartes. Depuis la faillite, elle se faisait de plus en plus rare, tout comme la monnaie de métal. Comment veux-tu faire prospérer un pays dans de telles conditions. Quelle misère!

Le pauvre Guillaume avait plus de difficultés à vieillir ses fausses cartes neuves pour qu'elles s'apparentent à celles en usage qu'à les fabriquer. Nous en portions constamment avec nous, dans nos poches, et les tripotions sans arrêt, pour qu'elles développent une patine acceptable.

J'en écoulais une petite partie à nos clients de l'auberge. Le reste disparaissait la nuit, en direction du manoir du sieur Leber, à Lachine. Elle était ensuite distribuée aux voyageurs de Jean-Baptiste Amyot qui l'utilisaient comme je te l'ai expliqué.

L'important, c'est que nous ne manquions pas d'argent. Chaque dimanche, nous avions une bonne bouteille de vin à table. Ta mère et Catherine étaient toutes deux habillées à la dernière mode de Paris, mais sans éclats, de façon à ne pas faire de jaloux.

Mes deux amies s'échangeaient, partageaient tout, jusqu'à leurs pensées les plus profondes. Je les aimais toutes deux et elles m'aimaient, tout méchant père que je fus. Madeleine était heureuse avec moi... mais comblée avec Catherine et moi. Nous vivions notre amour sans que rien ni personne ne puissent nous en inquiéter. Parfois, Madeleine et Catherine dormaient enlacées et moi, allongé près d'elles, je me remémorais les grèves du grand fleuve. D'autres fois, je sommeillais au centre, bras en croix, sur le dos, et mes deux amours se moulaient contre moi, une tête blonde au creux de mon épaule gauche, une tête brune au creux de la droite.

Ton frère Charles est né le 12 novembre 1719, en hurlant comme un diable dans l'eau bénite. Six mois jour pour jour après que nous eussions appris que le roy interdisait l'émission de nouvelles monnaies de cartes!

Charles, ce fut le contraire d'Hypolite. Les eaux qui débloquent et coucou me voilà! Madeleine fit cela toute seule, sans aide. Avec Hypolite, cela avait pris quatorze heures et toute la science de madame Rouensa. C'est vrai, tiens, c'est juste avant la naissance de Charles qu'elle avait décidé de nous quitter. La ville ne lui plaisait pas, avec ses égouts à ciel ouvert, ses puanteurs. Elle était repartie, avec ses deux fils, à la recherche du pays de ces ancêtres, pour y mourir, selon son vœu. Nous ne sûmes jamais s'il fut exaucé. Et nous n'eûmes plus aucune nouvelle d'elle ni de ses fils. Le pays est si grand!

Kiagonan Rouensa n'avait jamais voulu dormir avec nous, au troisième étage de l'auberge. Pour elle, grimper sur des planches, ne plus fouler la terre, de ses pieds nus, c'était briser l'harmonie de la création.

Un mois après la naissance de Charles, je revendis notre terre, achetée à Louis, à notre voisin qui s'en occupait si hardiment. C'était moins de gaspillage, et justice pour ce bon Jodoin qui aimait nos pommiers quasiment plus que sa femme. Avec l'argent, je fis construire ma première boulangerie. Boulanger-aubergiste, cela se complétait et les affaires allaient rondement. Si rondement que le soir venu, quand je montais dans notre cabane, deux fois sur trois, je tombais endormi drêt-là! Et Catherine de même, tu parles! Nos journées commençaient à quatre heures et demie et nous ne montions jamais à la maison avant minuit.

Ce n'est que le dimanche que nous soufflions un peu. Ce jour-là, pas de pain et un seul repas à nos pensionnaires, celui du midi. Une petite d'en bas venait préparer les repas et nous en profitions, tous les trois, pour sortir voir les amis et nous promener en ville.

Allez, laisse ton vieux père se reposer le gorgoton un petit peu et va dormir. Je te raconterai la suite demain. Moi, je veillerai sur Madeleine. Vois comme elle dort. Bonne nuit, ma *chatouno*.

XVII

Ce dernier arcane ne compte point
quand il est seul. Il n'a de valeur
que celle qu'il donne aux autres,
montrant ainsi que rien
n'existe sans sa folie.

GUILLAUME VACHER DIT LACERTE

Madeleine, mon amour, ma douceur, ma femme. Cela fait combien de temps que je te tiens la main, que je compte les secondes, attendant que ton souffle revienne encore une fois?

Marie-Louise et moi t'avons tenu compagnie toute la nuit. Notre petite s'est endormie il y a deux heures à peine. Je ne veux pas la réveiller tout de suite. Je t'en prie, pardonne-le moi, je veux te garder pour moi seul, te tenir encore, te pleurer, veiller ce corps que je connais par cœur et que je sens se refroidir entre mes mains, t'accompagner vers ta dernière froidure, ton hiver éternel.

Je te remercie de ce regard que tu m'as offert, au bout de tes forces, cet ultime tison de ta vie. Je l'ai senti pénétrer mon cœur, il y brûlera jusqu'à ma mort. Ce sera mon guide vers le monde des Esprits.

Ton regard était celui d'une enfant, le regard d'un être d'ailleurs, qui se rappelle en rêve sa vie sur terre.

Je te donne et redonne le chant des mourants. Je t'aime, je t'aime, je t'aime. Je veux croire que nos esprits se rejoindront.

Nos corps, eux, redeviendront poussières d'étoile, attente de vie. Mais ton souffle argenté, lui, ne mourra jamais. Je l'ai vu partir, rejoindre Catherine, nos amis, nos enfants, nos parents de toujours.

Je veux te rejoindre.

Bientôt. Dans quelques heures. Je reprendrai de cette mixture de champignons, pour faciliter le passage.

Avant, je réveillerai Marilou. Je ne lui dirai pas encore que tu es morte, pas encore. Elle ne pourrait plus m'entendre. Je m'assoirai à son chevet, et je lui raconterai la fin de notre histoire. Oh! Cela ne prendra que quelques minutes... Je lui répéterai comme je vous aimais, toi et Catherine. Puis, je lui dévoilerai ma dernière vérité.

Je lui dirai que tu as accouché d'une enfant sans vie, dans cette nuit du 5 novembre 1721. Je lui dirai que, cette même nuit terrible, Catherine est morte en couches, nous laissant une petite fille aux yeux et aux cheveux noirs comme jais.

Une petite fille que je mis dans tes bras, quand tu t'éveillas des douleurs de l'accouchement, des heures avant que tu n'apprennes la mort de Catherine et celle du bébé, des mois avant que tu te demandes si Marilou n'était pas sa fille, des années avant que tu n'oses me le demander, avant que je te convainque de ne jamais lui en parler.

Après ces derniers aveux, je fermerai les paupières, je perdrai conscience, de peur que ses yeux me condamnent, me chassent de son cœur, comme l'ont fait nos deux fils que j'ai si mal aimés.

Épilogue

Nicolas de La Personne de Las Fonts est mort le 29 janvier 1745, quelques dizaines d'heures après le décès de son épouse Madeleine Vacher dit Lacerte. On les enterra «dans le cimetière proche l'église Notre-Dame de Ville-Marie», devant le séminaire.

Marie-Louise vendit la maison et les effets de valeur de ses parents, sauf un vieux livre, en piteux état, *Les Pensées,* que Nicolas lui avait demandé de remettre à Hypolite et le tarot de son grand-père Guillaume qu'elle garda pour Charles.

Elle se maria, le 5 septembre de cette même année, à Louis Raynaud, originaire de la paroisse de Louisbourg, île Royale, dans cette même église Notre-Dame où s'étaient mariés Nicolas et Madeleine.

Marie-Louise et son mari partirent, quelques jours plus tard, vers une autre île Royale, celle-là encore françoise, sur le grand lac Supérieur, pour y faire le commerce des fourrures et y élever famille.

Marie-Louise eut trois enfants de Louis Raynaud. Elle nomma le premier Nicolas, le second, Hypolite. Son troisième enfant, baptisée Victoire, cessa de vivre deux jours après sa naissance, quelques heures après le décès de sa mère, morte exsangue à l'âge de 30 ans, dans ce demi-continent qu'on appellerait, pour neuf années encore, la Nouvelle-France.

Montréal, ce 27 octobre 1993.

COMPOSÉ EN NEW BASKERVILLE CORPS 12
SELON UNE MAQUETTE RÉALISÉE PAR JOSÉE LALANCETTE
ET ACHEVÉ D'IMPRIMER EN MARS 1994
SUR LES PRESSES DES ATELIERS GRAPHIQUES MARC VEILLEUX
À CAP-SAINT-IGNACE, QUÉBEC
POUR LE COMPTE DE GASTON DESCHÊNES
ÉDITEUR À L'ENSEIGNE DU SEPTENTRION